改訂新版 日本語教授法

石田敏子 著

大修館書店

はじめに

　1986年8月30日付の朝日新聞に，ボランティアの日本語教師の率直な言葉が紹介されています。「（国語の教員資格を持っているのですが），日本人に教えるのと違って面食らっています。この間，"窓を開ければ"，"開けたら""開けたなら"の違いを教えてほしいといわれ，弱ってしまいました。」確かにこれは日本語学習の難しい点の一つとされていますが，正規の訓練を受けた日本語教師であれば，常識的な問題であり，少なくとも「備え」はできていたでしょう。

　海外の日本語教育機関を訪ねますと，たまたま現地にいた日本人だからという理由で，日本語教師としての訓練を全く受けずに教壇に立たざるを得ない羽目に陥った人を必ずといっていいほど見かけます。クラスでの悩みを打ち明けられ，何か日本語の教え方について書かれた本を紹介してほしいと頼まれるのですが，項目別に書かれたものはあっても，一冊にまとまった具体的な教授法の参考書はあまりありません。同じような頼みはこれから海外へ出掛ける友人たちからも殺到しています。一方，「日本語教師養成講座」が至る所にできていますが，そのための教科書も不足しています。このようなことから，この本をまとめてみようと思い立ちました。

　一冊にまとまったものが今までにあまり出ていないということは，とても一冊にはまとまらないということに他なりません。したがって，この本はかなりの独断に満ちた冒険とも言えます。

　ここでいう日本語教育とは，日本語を使う力をつけるための教育の

ことです。「日本語の構文」とか「日本語概論」といったいわゆる日本語についての教育は，日本語教育というよりも，日本語学の専門課程に入ります。本書では日本語そのものの説明もしてありますが，あくまでも，日本語教育の立場から最低限知ってほしいことのみを取り上げました。幸い，この方面の参考書はたくさん出ていますので，章末毎の参考文献をもとに御自分でお読みになって下さい。なお，本文中に引用し，著者名（出版年）を示した文献もこの参考文献中に詳しく紹介してあります。

　私が日本語教育を始めた頃は，あまり人に知られていない分野でした。日本語を教えることが本当に好きな人たちが，あまり収入には恵まれなくとも，一生懸命手探りでこつこつと教えていました。私自身は仕事が面白くて，よい仕事についたものだと思いながら今日まで過ごして参りました。面白い半面，「毎日が経済摩擦」という面も確実に持っている職業です。これからこの道を志す方は，その厳しさも忘れずにいてほしいと思います。

　この本は早稲田大学語学教育研究所で担当した「日本語教授法」コースとNHK文化センターでの「日本語教授法」講座のノートに手を加えたものです。同コースを担当する機会を与えて下さった早稲田大学語研日本語教室の先生方，講義の録音を許して下さったNHK文化センターの磯貝千足氏，さかのぼって，日本語教育への夢を与えて下さった小出詞子元国際基督教大学教授（現姫路独協大学教授），海外でお会いした諸先生方に感謝の意を表したいと思います。また，原稿及び索引に目を通し細かい点をチェックして下さった国際基督教大学非常勤講師河元由美子先生，出版社紹介の労をとって下さった藤本隆志東京大学教養学部教授，編集にあたられた大修館編集部山本茂男氏にもお礼を申し上げます。

　　1987年8月

　　　　　　　　　　　　　　　　　　　　　　　　石田敏子

改訂新版の刊行にあたって

　本書の初版が出て以来6年が経ちました。幸い多くの日本語教師養成課程で使っていただきましたが，日本語教育の現場は大きく変わってきましたので，現状に合わせて，部分的に書き直しました。自分のクラスで使ってみて書換えの必要を感じた部分や御批判を受けた箇所にも訂正を加えました。

　主な改訂部分は，第3章「外国語教授法のいろいろ」，第6章「日本語教育用教科書について」，第7章「日本語の音声の特徴とその指導」，第11章「ドリルの種類」，第12章「カリキュラムのたて方」及び各章末の参考文献などです。

　激しい変化の流れの中で，常に役立つ本であるよう願っております。

　旧版を使って下さった方々や，お名前は省略させていただきますが引用を許可して下さった諸先生方及び諸日本語教育機関，諸出版社に厚くお礼を申し上げます。また，改訂版の編集にあたられた大修館編集部の日高美南子さん，小笠原豊樹さんにも感謝の意を表したいと思います。

　　1994年12月

　　　　　　　　　　　　　　　　　　　　　　　　　石田敏子

目　　次

［改訂新版］日本語教授法

第1章　日本語教育の特色

第1節　「日本語教育」と「国語教育」

　「国語」という語と「日本語」という語はどのように使いわけられているのだろうか。1976年に出版された『岩波講座日本語』の第一巻『日本語と国語学』は、冒頭で「国語」と「日本語」の意味の違いを説明している（p.3-5）。ここでは、「国語」は、国家を象徴し、国家をとりあげる際の単位になる言語を指して、その言語を使用する者同士の間で好んで用いられる名称としている。一方「日本語」とは、国家、固有言語、標準的といったことは含まず、日本という地域で使われている、あるいは、日本人が用いている言語という客観的、記述的意味を持つと説明されている。指し示す言語その物は同じであるが、「国語」は内側から、「日本語」は外側から見た表現と言えよう。

　また、この巻を『日本語と国語学』とした理由について、「『日本語学』はまだ一般になじまないし、いまのところ外国人の日本語研究かと誤解させるおそれさえある。それと違って、『国語学』はすでに学としての体系を持っている」という編集委員の説明が添えられている。しかし、その数年後の1982年には雑誌『日本語学』（明治書院）が刊行され、日本語学という語も現在では定着するようになった。

　「国語教育」とは日本人及び日本人と同等レベルの日本語能力を持つ者を対象として日本語を教えることである。日本語をすでに知り、使用している人たちが対象になるわけであるから、日本語の基本的構造そのものを教えるのではなく、むしろ、日本語についての教育が中

心になる。読み書きが重要な位置を占め，日本語をいかにみがくかが主眼点となる。日本語をコミュニケーションの手段としてではなく，文化の一端として学ぶ。

これにひきかえ，「日本語教育」とは，外国人を対象とした日本語の技能の教育である。帰国生のなかで日本語能力が十分ではないと判断された者を対象とする教育，中国からの帰国者や日本に定住を希望する人たちを対象とする教育もここに含まれる。

日本語についての教育は日本語教育ではなく，日本語が使えるようになってから始める専門教育の領域に入る。したがって，「日本語教育」は外国語教育及び第二言語教育（第2，3章参照）の分野に属し，国語教育とは一線を画している。

第2節　「日本語教育」と「英語教育」

外国語教育として日本の英語教育を取り上げ，外国語としての日本語教育と対比させながら日本語教育の特色を考えてみよう。

1. 学習者の言語的，文化的背景が一様ではない

日本の学校教育における英語教育は，日本語を母語とする人たちを対象として行われている。この場合，学習者は文部省の指導要領に従い，一応，同じような教育過程を経てきている。日本語を使用して教えることができるし，学習者の学歴を知れば，それまでに何を学習してきたかは推定可能である。

これに反して，日本の日本語学習者は，まず，母語が各々異なる。外国における日本語学習者の場合でも，国籍は同じであっても，母語は，必ずしも同じではない。例えば，シンガポールは，英語，中国語，マレーシア語，タミル語を各々母語とするグループで構成されている。インドネシアの国籍を持っていても，中国系の人々には，中国語が母語である。したがって，日本語教育では，母語を媒介として使

えるとは限らない。

　媒介語としては，英語が最も広く用いられているが，直接教授法から入って，日本語のみで教えなければならない場合も多い。視聴覚的手法が重視されているのはこのためでもある。

　学習者の年齢構成も社会的背景もまちまちである。特に欧米の大学の多くは，一般社会人に門戸を開放しているので，同じクラスの中に若い学生あり，主婦あり，実業家あり，高校教師ありと多様である。

　日本語の学習歴も各自異なる。日本で2年間学んだといっても，日本の「文部省指導要領」に当たる物がないので，教育機関によって週当たりの時間数も，教育内容も全く異なり，同じレベルにあるとは言い難い。国外であれば尚更である。

　このように日本語教育の場合は，言語，文化，興味，能力，年令等の異なる人間の集団を日本語を中心にしてまとめていかねばならない。教師の教育経験，殊に種々の母語や文化的背景の学習者を対象に教えた経験は英語教育の場合よりも重視される。

2．「教養」としてよりも「手段」として，短期間での日本語習得を目標にしている

　「使える英語を」の声が強くなったとはいえ，現在の学校における英語教育は，「教養」の域を出ていない。日本語教育も初期のころは，英語教育同様，読解と翻訳に重点がおかれ，日本文学を専攻する少数の学者の育成を主眼としていた。しかし，第二次大戦中，アメリカの軍部が行った日本語集中教育の方法が，戦後日本にも導入され，短期間に実用的な日本語を習得させるようになった。その後，国際交流の発達や日本経済の発展につれて，文学よりも歴史，経済等，文化的，社会的面での幅の広い日本研究や仕事のために日本語を必要とする層が厚くなった結果，長くても約2年間程度の学習後，専門分野での「手段」として日本語を使うことを目標とした教育が一般的になって

きている。例えば，ロータリークラブは，１年間弱の集中的な日本語学習後，専門コースへという計画で留学生を送ってきている。７，８か月後には，日本語の専門書を自分で読み始める学習者もいる。したがって，カリキュラムも日本語が使えるようにすることを重視して組まれている。日本の英語教育のように，せっかく長年学習しても使えないなどということはない。また，日本で英語を習った者は，「関係代名詞」という言葉は知っているが，その用法，意味となると怪しくなる。このように文法用語には詳しくても言葉の使い方は知らないといった日本語学習者もまずいない。

　最近では，海外での日本語教育が普及し，初歩の段階を自国で終えてから来日する者が増えている。

　一方，海外では，中・高等教育の一環として日本語を学習する者や日本語教育を必修とする教育機関が増えた結果，「教養」としての日本語教育が行われるようになってきているが，「使える言葉の教育」であることには変わりない。

３．一般に学習者の動機が高い

　英語は嫌いなのに仕方なくクラスに出ている学習者は多い。これにひきかえ，たとえ学力が低い場合でも，日本語学習者の日本語学習に対する動機は高い。必要に迫られて，または，日本語に興味があるので日本語を学ぶからである。

　しかし，前述したように，日本語を中・高校生や技術研修生の必修科目とする国も出てきている。このような所では，日本の英語教育と同じように，興味のあまりない学習者をどう指導していくかの問題が出はじめている。

４．小グループで教える場合が多い

　短期間で使えるようにするという点から，また，英語教育ほど学習人口が多くない点から，国内では，一般に，日本語クラスは10人前後

を目安として構成されている。個人教授も多く，学習者の学習レベル
や目的に応じた教育がかなりの程度可能である。これは，語学教育と
しては，非常に恵まれた一面である。

　しかし，学習者数が英語人口に比べて少ないことは，専任教師の需
要も限られていることを意味する。日本語教育が世に認められだした
とはいえ，国内で外国語としての日本語教育の規模は大きくない。現
状では，日本語教師養成課程を終えても，また，国外で日本語を教え
て帰国しても，国内で専任の職をみつけるのは難しいと言わざるを得
ず，必然的に，ボランティアやさしあたって食べるには困らない家庭
の主婦や若いお嬢さんの副業となる傾向が見られる。その反面，海
外，特にアジア諸国では，日本語学習者数が爆発的に増え，教師不足
を招いている。

5．学習者の教師に対する要求が厳しい

　使い物にならない言語教育のために何年もお金を払い続ける外国人
はいない。金銭感覚の差，教師に対する社会的通念の差もあるだろう
が，これだけの出資をし，努力もしているのだから，教師はそれに見
合うだけのことをするべきであるといった要求が必ず出る。学習者の
教師に対する要求の厳しさも日本語教育が効果をあげている大きな要
因の一つとなっていると言っても過言ではないだろう。クラスには遅
れない，教室では学習者が家庭で自分一人でも学べるようなことはし
ない，試験はできるだけ早く採点して返す，成績の算定基準は説明で
きるようにしておく等々，日本の学校では見逃されている教師の職務
だが，外国人学習者には通用しない。

6．日本語は国際語ではない

　ある言語学者によれば，（柴田武，1966，p.91）日本語を使用する
人口，使用されている面積の広さ等から考えると，日本語は世界で第
八位の言語だそうである。しかし，使われている国は一か国に過ぎな

い。いかに外国で日本語教育が盛んになりつつあるとはいえ，種々の参考書や辞書類の出まわっている英，仏，独，スペイン語等に比べると日本語学習者は恵まれない。辞書一つにしても，主要外国語以外の言語と日本語との対訳辞書は，非常に限られている。また，日本語教材を海外で入手するのは簡単ではない。アジア諸国では，書籍は高価で，教科書を学生に持たせるにはどうするかが問題になる。

そのため，教材作成も教師に依存する率が高い。日本語教育用教科書は一応出揃ってはきたが，国によっては，学習者の母語対訳の単語表作りは現地の日本語教師の仕事となる。良い辞書が与えられなければ，単語表は不可欠である。日本語教育用参考書も，まだまだ決して十分とは言えない。この点に関する教師の負担及び学習者のハンディは大きい。

7. 自分の習っていないことを教えなければならない

我々は国語や英語等の外国語は習ったことがある。したがって，国語教育や英語教育では，自分の学習方法なり，教わった方法なりを参考にすることができる。これに反して日本語教育に従事する日本人は参考にするべき経験を欠く。自分の教わらなかったことを自分とは異なる思考傾向を持つ人たちに教えるわけであるから，学習者の心理等に十分注意を払わなければならない。

主として日本の英語教育と比較して述べてきたが，最近の日本語教育にはアメリカなどにおける外国語としての英語教育と類似の面も出てきた。アメリカなどでは，外国から移住してきた人々を対象とした，その国に定住するため，その国の国民になるための英語教育がかなり大きな比重を占めている。中国からの帰国者や難民を対象とする日本語教育はこれと似た性格を持つ。

第3節　「日本語教育」と「日本文化」

I. 日本語教育と異文化理解

　日本語教育における異文化理解は，学習者の日本文化に対する理解，教師の学習者の文化に対する理解，及び両者が相手の文化を知ることを通して自分自身の文化について理解を深めるという三つの観点から考えることができる。さらに，国内における場合には，日本の文化を軸として，異なる文化的背景を持つ学習者間での同様な異文化理解が行われている。日本の文化をめぐる討論では，自国ではどうかという意見が学習者間で交換されるからである。

　日本語教育における「文化」の扱い方については模索の段階であり，明確な位置づけはなされていないが，ここ数年の間この問題への関心が高まってきた。これらの背景としては，日本語学習者層及び学習動機等の急激な多様化，日本語教授法の変化，「日本語・日本事情」枠で国立大学に配置された教官の増加などが考えられる。

　日本語を学ぶ時，学習者は日本語を通して日本の文化に出会う。言葉を理解させるためには必然的に日本語の文化的，社会的背景を説明しなければならない。従来の日本語教育では，初級レベルでは，主として口頭による学習に専念させるが，初級後半から中・上級レベルの読解教材は日本人の生活様式や思考傾向などに関する主題を中心として編集されていた。

　しかし，現在，海外の日本語学習者の約7割は中・高等学校の学生である。これらの年少者に現在の日本の社会や日本人のものの考え方をどう伝えるかが問題になっており，初級レベルから異文化間の問題を扱う可能性を考える必要が出てきている。これからの日本語教育は，発音，文法など，言語そのものを重視する教育と，異文化間コミュニケーションを目的として，目的達成の手段として言葉をとらえる教育とに分けて考えることができるという意見も出されている

(『日本語学』, 1989)。

2. 日本語教育における「文化」

「文化」という語で一般的に表現されている事項は，日本語教育においては次のような側面を持っている（石田敏子，1994）。

a. 言葉の理解との関係でとらえられる「文化」

板坂元(1971)や池田摩耶子（1977）は英語圏で長年日本語教育に従事していた経験から，日本独特の論理や価値観に基づいた表現を多数取り上げ，その教え方の難しさと同時に，日本語教師としての異文化理解について述べている。「なまじ」,「わざわざ」など外国人には理解しにくい表現や人称代名詞の使い方，比喩，言葉とイメージなど，ここで取り上げられているのは主として日本文化の研究を動機とする学習者を対象とした中級レベルの読解教材からの例であるが，日本語の教室では教師が常に直面する問題である。

b. 日本の人文，社会，自然，科学技術，一般的日本事情等についての知識

海外では，日本文化のこの側面の知識は，普通，日本人や現地の専門家によって学習者の母語または英語のような媒介語で「専門コース」として教えられる。したがって，日本語力の養成を目的とする「スキルコース」の領域外になる。「スキルコース」で取り上げられるのは，前述したように，教科書に含まれる文化的主題及び言葉の理解との関係で必要となる日本文化の説明である。

その反面，国内では，この側面の「文化」は，主として「日本事情」として留学生を対象とした大学の授業科目に含まれ，日本語教育の領域に属している。日本語教師が教えるか，分野別に専門家が教えるか，両者が協力して教えるかは教育機関によって異なる。現状では，「日本事情」とは何かについての共通の認識がなく，「日本事情」の扱いについての研究が関係者間で進められている。

ｃ．日本で生活するために必要な知識

　帰国者や難民または短期の技術研修生を対象とした日本語教育で
は，言葉の教育と同時に，自国の文化と日本の文化を比較対照しなが
ら，日本で生活するための基礎的なオリエンテーションが行われる。
国内の外国人小・中学生を対象とした日本語の教科書も，日本の学校
生活で必要な知識を中心として編集されている。

ｄ．専門的領域で必要な日本の社会に関する知識

　日本語を使って働くために日本語を学習する人たちを対象とした領
域では，「専門分野別日本語教育」が行われている。古くは外交官の
ための教育があり，ここ数年間に始められた例としてはビジネスマ
ン，科学者，技術者，スチュワーデス，旅行業者などをそれぞれ対象
とした日本語教育がある。このような教育では，各専門に応じた日本
の文化的，社会的知識や業務に関わる特殊事情が教えられている。例
えば，外交官を対象とする日本語教育では，Area Studyの名称で日
本に関する文化的，社会的及び業務上の知識をカリキュラムに取り入
れており（高見沢孟，1987），スチュワーデスのための日本語教育で
は，接客関係の文化的，社会的知識の他に，日本人と一緒に働くため
の準備として日本社会についての知識が日本語のクラスで教えられて
いる。

参考文献

（１）池田摩耶子（1977）『日本語再発見』，三省堂.
（２）石田敏子（1994）「異文化理解における日本語教育の課題」，『異文
　　化間教育』8，pp.4-19.
（３）板坂元（1971）『日本人の論理構造』，講談社新書.
（４）大野晋他編（1976）『岩波講座・日本語』1，岩波書店.
（５）─────（1976）『岩波講座・日本語』別巻.
（６）柴田武（1966）「世界の中の日本語」，*Modern Japanese for University Students*, Part II, 国際基督教大学，pp.91-97.

（7）高見沢孟（1987）「Job-oriented Training――米国国務省日本語研修所における日本語教育」,『日本語教育』61号, pp.63-75.

（8）細川英雄（1994）『実践「日本事情」入門』, 大修館書店.

（9）「特集：異文化理解と言語教育」,『異文化間教育』 8号（1994）, 異文化間教育学会.

（10）「特集：日本事情教育」,『言語』Vol.19 No.10（1990）, 大修館書店.

（11）「特集：日本語教育と文化」,『日本語学』 Vol.8 No.12（1989）, 明治書院.

（12）「特集：日本語教育と国語教育」,『日本語学』 Vol.10 No.9（1991）, 明治書院.

（13）「特集：日本事情のとらえ方」,『日本語教育』65号（1988）, 日本語教育学会.

第2章　母語の学習と外国語学習

第1節　母語の学習と外国語学習の違い

　母語（最初に獲得する言語，第一言語ともいう）の学習と外国語学習にはどのような差があるだろうか。日本語教育の父とも言える長沼直兄は，言語学者イエスペルセンの言葉をひきながら，外国語学習と母語の学習とを比較している。これをまとめてみると，外国語学習に比して母語の学習は次のような特長を持っている（言語文化研究所，1981，pp.70-79)。

（1）適応性の盛んな最も好都合な時に習う。

（2）同じ言葉を何回も繰り返し，動作，実物と結合して聞かせられる。

（3）使う環境と一致させて，正しい理解をさせることができる。

（4）必要に応じて聞き返すこともでき，殆ど休みなしに個人教授を受けているのと同じである。

（5）言葉の教育が愛情によって行われる。

（6）他の言語体系がない。

（7）実生活で毎日常用している。

（8）使えなくては生活上困る。

（9）習得の時間が非常にながく，何年もかかって習得する。熟練するためにも必要な時間が十分与えられている。

（10）言語能力と心理とが平行して発達する。外国語の場合は精神

　　年令と言語能力が一致しない。

（11）必要に応じて無意識に学習する。外国語は意識的に学習する。

（12）自分の意思を抑制する習慣の形成以前に学習する。

　この対極にある外国語学習の特長については，次の点があげられる。

（1）その言葉の使われる環境を示しながら教えるのはなかなか難しい。

（2）一般に母国語の体系が出来上がってから外国語学習を始める。

（3）必ずしも実生活では使用しない。

（4）使えなくても困らないことが多い。

（5）習得のための時間及びその言語に接する機会は限られる。

（6）精神年令と言語能力が一致しない。

（7）意識的に学習する。

（8）恥ずかしさ，自国の言葉と他国の言葉に対する態度，自己防御の手段，劣等感等の心理的要素が育ってしまってから学習を始める場合が多い。

　以上の事項から，外国語教師として日本語の教師はどんな点に留意すべきかが浮かび上がってくる。

　「外国語」学習と「第二言語」学習とは，同じ意味で使われることもあるが，厳密には，区別される。例えば，多言語社会で，母語と公用語とが異なる場合には，公用語の学習は「第二言語」学習であって，「外国語」学習ではない。また，移民として定住する国の言語を学習する場合も「第二言語」学習である。

第2節 母語の役割

　1960年代までは，母語の知識が外国語学習を妨げるという意見が強

かったが，最近の第一言語の獲得や外国語学習に関する研究では，子供が第一言語を獲得する過程とその言語を外国語として習得する過程とは類似点が見られるという結果が得られている。また，二言語教育についての研究成果によれば，母語がしっかりしている学習者は外国語力も高いと言われる。子供が母語を学ぶ方法を外国語学習にも生かそうとする主張もあり，その一つであるThe Natural Approachを提唱したアメリカの学者Krashenは成人の外国語力の発達には二つの側面があると説いている。一つは「獲得（acquisition）」で，子供が第一言語（母語）を習うような無意識な過程であり，もう一つは「学習（learning）」で意識的に言語についての知識を得ることである。両者の差は次のようにまとめられている（Krashen, 1983, p.27）。

獲得	学習
子供の第一言語の獲得に類似。	学習によって得た語学力。
自然に覚えた言語。	言語についての知識。
無意識。	意識的。
潜在的な知識。	明確な知識。
きちんとした教育は無益。	きちんとした教育は有益。

　Krashenは，クラスでは「獲得」の面を効果的に伸ばすようにすべきであると主張する。この教授法をはじめ，新しく提唱されている教授法は，我々が言語を獲得するのは，その言語を聞いたり読んだりして「理解」する過程を経るからであることを考慮し，外国語学習でも聴解と読解を重視すべきであるとしている。学習者は学習事項を理解するまでは，自らその外国語を使う必要はないとされる。

　これらの新しい主張にはこれまでの外国語教育の主流であったA-L教授法（p.31参照）の欠陥を補う点を必要以上に強調する傾向が見られる。極論に走ることなく，いろいろな教授法を取り入れた自分の教授法を編み出すことが最善の効果につながるはずである。そのため

には，他の言語教育の分野で行われていることにも興味を持つことが大切であろう。

第3節　誤用分析と中間言語

　Fries（1945）やLado（1957）は，学習者の母語と目標言語（学習者が学びつつある言語）の対照分析により，両者の類似点と相違点を知れば，学習上の困難な点や学習者の誤りは予測可能であると主張した。しかし，誤用分析の結果から，母語との関係だけでは説明のつかない誤りも多いことが分かってきた。A-L教授法では，誤りは学習の失敗を表すものとされていたが，1970年代に入ると，学習者の組織的に犯す誤りは，学習者が目標言語習得上どの過程にいるかを示すもので，教師は誤りを知ることにより，次の段階へ進むための指導を与えることができるという考え方が強くなった。母語から目標言語に到る途上にある学習者の不完全な言語体系は「中間言語（interlanguage）」と呼ばれ（Selinker, 1972）母語でも目標言語のでもない独自な規則をもつと考えられている。

　現在までの研究成果によれば，次のような点が判明している。

（1）学習の初期には母語の音声面での影響が強い。

（2）形態素の習得には母語の差に関係なく一定の順序がある。第一言語と第二言語の習得には基本的に高い類似性が認められる。

（3）母語の干渉（負の転移）以外にも目標言語の既習の知識を過剰に一般化するために起こる誤り（overgeneralization）や学習者のコミュニケーション方策に起因する誤りなど，多様な誤りがある。

（4）ある種の誤りは化石化する（誤りが固定化しいつまでも残る）。

日本語教育においても誤用分析が試みられたが，分析の結果を学習

者の母語との関係で説明する方向に進んだ為，一種の対照分析の性格を帯びてしまった。学習過程との関係での誤用分析が始められたのは，1980年代の後半からである。

参考文献
　（ 1 ）小篠敏明他編（1983）『英語の誤答分析』，大修館書店．
　（ 2 ）言語文化研究所（1981）『長沼直兄と日本語教育』，開拓社．
　（ 3 ）小池生夫監修，SLA研究会編（1994）『第二言語習得研究に基づく最新の英語教育』，大修館書店．
　（ 4 ）「特集：中間言語研究」，『日本語教育』81号（1993）．
　（ 5 ）Brown, D. H. (1987) *Principles of Language Learning and Teaching*, Prentice Hall Regents.
　（ 6 ）Corder, S. P. (1981) *Error Analysis and Interlanguage*, Oxford University Press.
　（ 7 ）Dulay, H., Burt, M. & Krashen, S. D. (1982) *Language Two*, Oxford University Press〔牧野高吉訳（1984）『第 2 言語の習得』，弓書房〕．
　（ 8 ）Fries, C. C. (1945) *Teaching and Learning English as a Foreign Langnage*, University of Michigan Press.
　（ 9 ）Krashen, S. D. & Tracy D. Terrell. (1983) *The Natural Approach*, The Alemany Press.
　（10）Lado, R. (1957) *Linguistics Across Cultures: Applied Linguistics for Language Teachers*, University of Michigan Press.
　（11）Selinker, L. (1972) "Interlanguage", *International Review of Applied Linguistics* 10, pp.209-230.

第3章　外国語教授法のいろいろ

第1節　外国語教育理論の変遷

1．18世紀まで——文法翻訳法中心

　16世紀頃，フランス語，英語，イタリア語などが，それまでヨーロッパの共通語として幅広く使われていたラテン語にとって代わり，ラテン語は口語として使われなくなった。以後19世紀頃まで，死語となったラテン語は理想的な言語と見なされ，その学習は高等教育の基礎となる知的訓練として学校教育で行われた。文法の習得と文献読解を目的とし，文法規則，格変化，語彙などの暗記や日常生活でのコミュニケーションとはかけ離れた文の翻訳が学習の中心となった。この教授法は，「文法翻訳法」として知られるようになった。18世紀に入ると，フランス語，英語，イタリア語など，いわゆる「現代語」も外国語として教えられるようになったが，ラテン語教育と同じ方法で教えられた。

2．19世紀——自然法の芽生え

　19世紀半ばには，ヨーロッパ諸国間の往来が盛んになり，話せる外国語教育の必要が強くなった。そのため，文法翻訳法への批判が高まり，語学教育の専門家たちは新しい教授法を提唱し始めた。英国のT. Prendergast（1806-1886），フランスのC. Marcel（1793-1896）やF. Gouin（1831-1895），アメリカのS. Sauveur（1826-1907）らは，

幼児が母語を学ぶ過程を観察し，同じ方法を外国語教育へも応用するべきであると主張した。なかでも，Gouinの提唱した連鎖法による音声を重視した教授法は広く知られ，日本語教育にも影響を及ぼした。これらの教授法は「自然法」と呼ばれ，20世紀に入って開発された「直接法」の基礎となったが，当時の外国語教育の流れを変えるには至らなかった。

　19世紀末には英国のH. Sweet（1845-1912），ドイツのW. Viëtor（1859-1918），フランスのP. Passyなどの言語学者が外国語教育に学問的裏付けを与えた。彼らは，音声を言語の第一義的な形として重視し，音声学の基礎を築いた。その結果，言語の音声が科学的に分析され，記述されるようになった。1886年には，国際音声学会が発足し，国際音声記号が制定された。

3. 20世紀前半——直接法の発展

　自然法の信奉者たちは，言葉の意味を実物を示したり，動作で理解させたりしながら，学習者の母語を使わずに教えることができると主張した。新しい語彙は既習の語彙を使用して教える。この教授法は「直接法」として発展した。「直接法」で最もよく知られているのは，M. Berlitz（1852-1921）の語学校である。一時は欧米で盛んになった教授法であるが，普通の学校教育ではnativeの教師を得にくいこと，学習者の母語を全く使わないで教えるのは時間的にも不経済であることなどの理由から，1920年代以降は，一部の語学校を除いては，次第に使われなくなった。ヨーロッパでは，直接法と文法中心の教授法を併合した方法が，外国語教育の主流となった。

　英国では，H. Palmer（1877-1949）やA. S. Hornbyなどが口頭練習を重視する教授法に科学的な基盤を築こうと努力した。彼らは外国語教育で教えるべき語彙や文型に関する組織的な研究を試みた。1920年代から1930年代にかけて，外国語教育のための語彙に関する大規模

な調査が実施され，この結果に基づいて，語彙選択のための手引き書が作られた。また，教室において基礎的な文型を口頭練習を通じて教える手順についての研究も行われた。直接法と同様に口頭練習を重視したが，教育内容の選択，易から難への段階づけ，提示や練習の手順などに理論的な原理を適用した点で，直接法とは異なる（Richards, J. C. & Rodgers, T. S., 1986, 31-34）。この教授法はOral Approachと呼ばれ，1950年代頃まで，主として，外国語としての英語教育に取り入れられた。言語の使用される場面を重視することから，後にSituational Language Teachingとも呼ばれるようになった。この教授法は実用性を重んじる語学教師の目的にかなっており，1980年代まで広く使われていた。

　アメリカでは，外国語教育の実態調査結果がColeman報告として発表されたが(1929)，この報告書は，学校教育では会話力を目的とする教授法は適さないとして，読解を中心とした教え方を推賞した。以後，第二次世界大戦まで，アメリカの外国語教育では読解を重視する教育が続けられた。

4．第二次世界大戦以後(1940-60年代)——Audiolingual Method

　第二次世界大戦中に，アメリカでは，軍人を対象として，短期間に集中的に外国語を教えるための特別な訓練（Army Specialized Training Program）を行った。この教育計画の一環として，構造言語学や行動心理学の理論に基づいた新しい外国語教授法が開発された。種々の言語がこの教授法によって教えられたが，特に日本語教育では，多大な成果を収めた。約2年間ほど続けられたこの教授法は，アーミー・メソッドとして知られているが，1950年代の半ばにはオーディオ・リンガル・メソッド（A-L教授法）として，外国語としての英語教育に応用されるようになった。この教授法では，外国語の学習は新しい習慣の形成であるとみなす。意味よりも文の構造を重視し，口頭

練習から読み書きへと進む。文法は大量の文型練習を通して，類推により学ぶ。難しさの原因は，学習する言語と学習者の母語との相違点にあるので，両言語の対照分析から，学習上の困難点の予測ができると考えられた。

　ミシガン大学のC. Friesが提唱したところからミシガン方式とも呼ばれ，戦後の外国語教育理論の主流となった。A-L方式（Audio-Lingual approach），Aural-Oral方式などとも呼ばれるが，「approach」は語学学習理論や言語の本質に関する基本的理念を表し，「method」はこれらの理念に基づいた具体的な教育方法を意味する。

5．1960-70年代──A-L教授法の衰退

　1960年代に入ると，アメリカの言語学の主流は生成文法理論に変わった。N. Chomskyは言語の習慣形成理論を否定し，人間は言語を模倣や繰り返しによって学ぶのではなく，各自の持つ言語能力から新たに生成すると主張した。

　また，A-L教授法に対して，構造を重視するあまり意味に注意を払わずに機械的練習を繰り返すのは学習意欲を低下させる，実際のコミュニケーション場面でその文型が使えるようになるとは限らない，文を正しく構成できても単純な意志伝達ができない学習者がいるなどの批判も出てきた。学習者の誤用を分析した結果からは，学習上の困難度や誤用は必ずしも言語の対照分析によって予測されるとは限らず，母語の干渉以外に起因する誤用もあることが明らかにされた。

6．1970年代以降──新しい教授法とコミュニカティブ・アプローチ

　1970年代の前半頃には認知学習理論に基づく教え方が提唱された。この教え方では，新しい学習項目は既習項目に関連づけて与えられ，学習者が自ら新しい規則を見いだしていく。学習者は意味を理解した上で練習に入る。A-L教授法の欠点を補い，学習者自身が創造的な練習ができるような工夫がなされていたが，特定の教授法を確立するに

は至らなかった。

　これと並行する形で，A-L教授法に批判的な種々の教授法が心理学者や生理学者から提唱された。「新しい教授法（non-conventional）」と呼ばれるこれらの教授法には，Total Physical Response, Silent Way, Community Language Learning, Suggestopediaなどがある。

　英国では，C. CandlinやH. Widdowsonなどの応用言語学者たちが，単に言語の構造を習得するだけでなく，コミュニケーション能力をつける必要があることを主張し始めた。

　一方，ヨーロッパ共同体が形成され，成人を対象に意志の伝達能力を育成するするための言語教育が必要になってきた。また，1970年代に入ると，移民や季節労働者が増加し，これらの人たちが外国語で日常生活における意志の伝達ができるようにする必要も生じた。このような社会的要請に応え，頻繁に移住する学習者のためにヨーロッパ内のどの言語教育機関でも共通な単元を認定するunit-credit systemが考案され，ヨーロッパで働く成人を対象として，コミュニケーション能力の育成を目的とする外国語教育のためのシラバスが提唱された。D. A. Wilkinsが提唱したこのシラバス（教授項目一覧）は，従来の言語形式を重視する「文法」または「構造」シラバスとは異なり，言語の概念と機能を中心としており，「概念・機能」シラバスと呼ばれる。

　この考え方は教材作成やカリキュラム設定にすぐ応用され，1970年代半ば頃からはコミュニカティブ・アプローチまたはコミュニカティブ・ランゲージ・ティーチング（CLT）として広まった。

第2節　翻訳法と直接法の(+)と(−)

1. 翻訳教授法の(+)と(−)

　ある意味では，翻訳を与える教授法ほどやさしい教え方はない。時

間の無駄もない。しかし，学習者の将来を考えるとこの方法は幾つか
の危険性を含んでいる。

　一つには，内容のみを理解したことに満足し，文の構造上の問題点
を理解しないまま学習が終了したと思い込んでしまう。これでは，応
用がきかない。時としては，原文よりも訳された母語の方に関心が注
がれ，外国語は断片的にしか学ばない。また，常に一語一語母語に直
さないと理解できなくなる習慣を身につけてしまう恐れがある。「日
本語で考える」ことが果たしてどこまで可能かは，意見の分かれると
ころであるが，言葉が使われる状況によって理解しようとはせず，母
語に置き換えねば気がすまない学習者は作らない方がいいだろう。例
えば，「本」の意味を知るのに実物を見せても納得せず，"book" と
いう言葉を与えられて始めて理解する英語圏の学習者もいる。一度こ
の癖がついてしまうと，かなり進んだ段階になっても，聞いたことを
一語一語母語に置き換え，頭の中で再構成するまで反応が出来ない。
当然反応も遅く，時によっては，自分の目で見ようとすれば簡単に分
かることでも，母語に置き換えたためにかえって理解できなくなる。
このような癖のついた学習者は，いつまでたっても母語の構文に依存
した文を書き，中級以降，母語には翻訳しきれない日本語の微妙な
ニュアンスの差を理解するのに苦しむ。

　前述したように，多様な背景の学習者を対象とする国内の日本語教
育では，事実上，母語の使用は出来ない。そうかと言って，英語（ま
たは他の媒介語）なら分かるからと英語の説明に頼りきるのは，さら
に危険である。日本語―英語―本人の母語の間のズレに気づかないま
ま理解したと思ってしまうからである。これはヨーロッパの学習者に
も意外に多い。

　翻訳の技術を学ぶことは，翻訳に頼って日本語を学習するのとは別
の次元に属する。自国で日本語の知識を生かして仕事をするために
は，翻訳力が不可欠である場合も多い。このような時に役立つ翻訳の

技術は上級または専門コースで別に教えられねばならない。翻訳の上手下手は，日本語よりもむしろ学習者の母語の能力による。

　クラスで学習者の母語をあまりたびたび使用すると，その言語を学習者から学びとろうとしているという誤解を受けることもありうる。また，このような考えをはっきりと口にする学習者もいることは知っておいた方がよいだろう。

　以上の点をふまえた上で，母語を与えた方が的確な理解ができ，時間の面でも特に経済的であると判断した場合や理解の確認などのために母語は効果的に利用したい。

２．直接法の（＋）と（－）

　直接法と呼ばれる教授法にはさまざまなタイプがあるが共通点としては，学習者の母語は使わない，使うとしても控えめに使うことがあげられる。『英語教授法事典』（1972）では，直接法を「言語表象と意味とを母国語をはさまずに，直接に結びつける習慣を養う言語教授法」と定義している。1920年代に英国から招へいされ，オーラル・メソッドを提唱したH. Palmerは直接法について次のように述べている。

　（１）外国語のテキストを母国語に訳すことはしない。
　（２）文法は帰納的に教える。
　（３）教材には連絡のある文を使う。
　（４）発音は組織的に教える。
　（５）語句の意味は実物や違う言い回しを使ったりして，訳さずに教える。
　（６）新出の単語や構文の知識は問答によって徹底させる。

　このように直接法は，言語の媒介なしに教える方法なので，学習者の母語の影響はできるだけ少なくおさえられる。また，母語を知らな

くても教えられる利点がある。言葉が使われる状況下で，言葉の表す
意味と結び付けて示しながら教えるので，言葉の使い方を理解させる
ことが出来る。しかし，教え方は難しく，学習者側の不安をさそいや
すい。微妙な点の理解の確認も難しい。また，母語で言ってしまえ
ば，すぐ理解できるのに，まわりくどい説明をしなくてはならないた
め時間をとる場合もある。

　異なる言語的背景を持つ人たちのグループに適しているところか
ら，国内の初級日本語クラスでは，直接法に近い教授法が取り入れら
れている。これは「折衷法」と呼ばれている。学習者の不安を最小限
にとどめて，且つ，理解を正確にする目的から，対訳つきの単語表や
母語または，媒介語による文法の解説書を準備しているところが多
い。教室ではできるだけ日本語を使用する。

第3節　日本語教育に影響を与えた教授法

I. ベルリッツ（Maximilian Berlitz, 1852-1921）の教授法

　ベルリッツは1872年にドイツからアメリカに渡り，1878年に自分の
学校を設立した。彼は，外国語を習得するには，子供が母語を学ぶの
と同じに耳で聞いてその通りに反復すればよいと考えた。長沼直兄に
よれば（言語文化研究所，1981，p.132-136）彼の学校は次のような
特長を持っていた。

　（1）学習者の母国語の使用は厳禁する。翻訳はしない。
　（2）教師はその言語を母国語とする人に限る。
　（3）クラスは小人数制とする。
　（4）話し言葉を重視し，文字は，20時間位後に導入する。
　（5）語彙は日常生活に関連したものを選ぶ。
　（6）技術的に訓練された教師を高い俸給で雇用する。

（7）教師の独創力を用いたクラス活動は許されず教師の負担は大きい。

（8）教材や指導体制は組織的である。教材は易から難へ，具体から抽象へと配列され，各課の連絡がとれている。

（9）語学として専門に学ぶ人よりも，旅行中ある程度の用を足すためにといった実用的な外国語を習いたい学習者が集まる。

　以上あげたように，短期間に話す能力を身につけるためには優れた教授法である。

2．グアン（François Gouin, 1831-1895）の教授法

　グアンはフランスでギリシャ語とラテン語の教師をしていたが，翻訳法に疑問を持ち，外国語は赤ん坊が習うのと同じ方法で習わねばならないと考えた。言葉を客観的なもの，抽象的なもの，比喩的なものに分け，客観的な言葉から入る方がよいとし，客観的な語彙を教室で教師が使って教えるようにした。

　動詞を重視し，ある動作の順を追って言い表すことが最も記憶しやすいという考えに立って，ある行動，例えば「戸を開ける」を，戸の方へ歩いていく，戸に近づく，戸の前で止まる，手をのばす，ノブを手で握るといった具合に細かい過程にわけて，その順序を母語で言わせる。その後に，細かく分けた行為を習うべき外国語で教えていく。

　この方法では，「戸を開ける」とか「木を切る」などといった動作を細かく分け，動詞中心の幾つもの連続した文で描写し，文脈の中で意味を明確にした上で，動作を通じて外国語を教えていく。

　この教授法は第一次大戦頃まで，ヨーロッパ，特にフランスで盛んであった。日本では，明治36年文部省主催の夏期英語教育講習会で紹介されたがあまり注目を浴びるには至らなかった。しかし，台湾での日本語教育に取り入れられ，朝鮮半島，旧満州，華北へ受け継がれた。この教え方を日本語教育で実践した山口喜一郎（1872-1952）は海

外で52年間日本語教育にあたった人であるが，木村宗男(1982)は山口のグアンの方法に対する評価と批判を要約して紹介している。

　　グアン法についての批判　　（木村宗男，1982，p.278）
　（1）1教課の項数を20乃至25にかぎったことは独断であり，不自
　　　　然である。
　（2）ある題目が示す目的について連想される手段系列の展開がは
　　　　んさに過ぎ，教授上賛成しがたい。
　（3）外界事物を目的と手段の関係で見る見方にのみ重きをおいて，
　　　　実際にわれわれが空間的統一体として観察し記憶する方面を閑
　　　　却したところはグアン法の欠点である。
　　グアン法についての評価
　（1）事物を動的にとらえ，言表の中心を動詞においたことはよい。
　（2）目的と手段の関係で教材を統一し，雑多な事項に秩序を与え，
　　　　言葉を散漫乱雑な塊としない点で啓発される。
　（3）客観的言語と主観的言語を対立させ，それを「相伴わせて」
　　　　教授するという考えは自然で無理のない方法である。

　　長沼直兄は，この教授法には部分的に応用できる面はあるが，これ
だけにかたよると無理が起きるとしている（言語文化研究所，1981，
p.138-9）。

3．パーマ（Harold E. Palmer, 1877-1949）の教授法
　　パーマはイギリスの語学教育の専門家で，1922年（大正11年）に文
部省の英語教授顧問として来日した。以後，1936年（昭和11年）に日
本を去るまで，英語教授研究所所長として，14年間，英語教育改善の
ために努力した。彼の教授法は，Oral Methodと呼ばれている。
　　名称の通りに，母語を仲介にせず，口頭練習を重視する直接法に近
い教え方であり，入門期の3-6週間は口頭練習のみを行う。レベルが

進むにつれていろいろの方法や各種の教科書を使う。ドリルも多く行い，英英辞典を使わせる。パーマの語学教育に対する考えは，語学教育の10原則としてまとめられている。

語学教育10原則

（1）言語は，単語，連語，成句，語尾，接頭語，接尾語等の言語記号から成る。

（2）言語は，言語慣習（言語の組織的体系）として，また，言語活動（言語の使用に含まれるすべての活動）と見なして取り扱うことが出来る。

（3）言語心理学の立場からは，言葉を習うことは，言語記号の意味を知ること（identification，了解，理解）であり，その記号と意味とを密接に結びつけること（fusion，融合）である。知ることと実際に使うこととの間には差があり，翻訳とは，意味を知ることのみである。

（4）教授法の立場からは，言葉を習うことはある技術を習得させることであり，第一義的なものと，第二義的なものがある。

（5）聞き取りの技術及び聞き取ったことを模倣して言う技術は第一義的なものである。

（6）読み書きの技術は第二義的なものである。

言語技能の習得には，聴覚-発音像（Acoustic-articulatory image）が重要な基本となる。聞く，話すがある程度できてから初めて読み書きの技術が発達し，実際に使えるようになる。聞き取りの技術と聞き取ったものをまねる技術とが結びついて聴覚－発音像を作る力が出来，さらに，この能力は言語記号とその記号が表すものを結びつける作用を速めるからである。

（7）第二次的技能は翻訳も含む。

（8）発音は言語の必須要素である。ある音を発音出来るのみでは

なく，語頭，語中，語末で正しく発音出来なければならない。

（9）文法も必須要素で，主として慣習によって定められた法則に従い，構成要素を用いて文を組み立てる問題を扱う。

（10）なるべく少ない語彙を使って十分に練習することが語彙を増やすのに最も役立つ。始めのうちは，語彙を増やすより，既習の語彙をいかに自由に使えるようにするかを目標にすべきである。

　パーマの教授法は一般の教師には扱いにくく，読み，書きがややもすれば軽視されるため，日本の外国語教育界では，翻訳法に頼った伝統的教授法を改革するだけの大きな勢力を持つには至らなかった。

　しかし，日本語教育は，長沼直兄がパーマと個人的に親しく，日本語を教えたりしたため，パーマの教え方の影響を強く受けた。長沼直兄はパーマの勧めで米国大使館の日本語教育を引受け，パーマに相談しながら『標準日本語読本』8 巻（1931）を編集した。序文をパーマが書いている。この教科書は後に第二次大戦中，米軍日本語学校でも一時使用された。

4．ASTP（Army Specialized Training Program）

　第二次世界大戦中，アメリカの軍部がA-L教授法を取り入れて行った集中外国語教授法で，20数か国語を取り扱ったこの教授法は非常な成功を収めた。日本語教育の分野では，戦後世代の日本学者とその次の世代を教育する人材を送り出した。

　目標は，外国語の口語をnative speakerに近い発音で正確に且つ流暢に話せるようにすることにおかれ，具体的には次の方法がとられた。

（1）比較的短期間に多くの授業時間を設ける。

（2）一学級10人前後の小クラスとする。

（3）言語構造の学習と会話練習を行う。

（4）反復口頭練習を重視し，言語習慣の形成を目指す。

（5）音素分析と音素表記を用いる。

（6）習うべき言語を母語とする者（informant）を活用する。

　授業は大学の語学教授による文法解説とnative speakerによるドリルとに分けられた。1日1時間，週5回，1クラス80人に対して，英語で文法解説を行い，それに引き続いて1日2時間，週6回，1クラス8-10人に分けてドリルを行った。文法は実用の面から機能に重点をおいて説明された。ドリルのクラスでは，文法説明や母語の使用は禁止され，日常生活でも学んでいる外国語が使われた。

　このプログラムの立案には構造言語学者が参加し，学習すべき外国語と母語（英語）の構造を分析，比較した上で，教科書（Block, B. & Jorden, E., *Spoken Japanese*）が編集され，学習上の問題点を考慮に入れた授業計画が立てられた。成功の理由としては，次のような点が指摘されている。

（1）受講生は言語適性検査によって厳選され，成績不良者は原隊に戻された。

（2）実質的な学習時間が非常に多かった。

（3）受講生数名につき，教師1名の小クラス編成であった。

（4）視聴覚教材，教具が最大限に使用された。

（5）受講生は有給で，任地についた場合や除隊後の待遇も配慮されていた。

（6）実用面のみに重点をおいた集中教育であった。

（7）新言語理論を積極的に導入した。

（8）音声指導を徹底させた。

　この教授法の成功は，Aural-Oral approachが話す能力の養成には

効果的であることを立証したことに他ならず，その後の外国語教育に大きな影響を与えた。また，日本語教育に採用され，成功したことから，第二次大戦後の日本語教育に大きな影響を与えた。

5．オーディオ・リンガル教授法（Audio-Lingual Method, A-L教授法）

　1930年頃から1960年代初頭までアメリカの言語学の主流となっていた構造言語学及び行動心理学に基づいた教授法で，ミシガン方式とも呼ばれる。

　構造言語学は次のような考え方に立っている。

1. 科学的に言語を記述しようと試みる。

　　　対象は観察できるものに限り，直接に観察できない「意味」は研究の対象外においた。その結果，分析は音声を基礎とし，言語は音素と形態素の連鎖により構成されているとする。

2. 言語の習得は習慣形成によって果たせられる。

　　　言語の習得は刺激－反応－強化という形で行われると考え，言語資料としては，正しいと思われるもののみを使用し，誤文は扱わなかった。この考え方は行動心理学の影響を受けている。行動心理学では，有機体のあらゆる行動を刺激と反応の関係でとらえ，外から観察できる行動のみを扱い，「意識」といったものは問題とすべきではないと考えた。

3. 音素の対立の概念を文の意味の理解に適用する。

　　　例：これを　きって　ください。

　　　　　これを　きて　　ください。

　　　　　これを　きいて　ください。

　A-L教授法では，学習者の母語と習得すべき言語を比較研究し，両者の共通点と相違点を知り，これを基にして教材を選び，注意深く配列する。口頭練習を重視し，文型練習を中心とした多量のドリルを与

える。これは，学習の目的が「読む」ことであっても，言語の基本面
――限られた語彙範囲内での文法構造及び音組織――の習得は「話
す」ことによらねばならないという考えに基づいている。規則は帰納
的類推により一般化させ，説明は最低限にとどめる。具体的には次の
ような練習方法をとる。

文の暗記と模倣

（1）文字の導入は遅らせて，口頭による練習をまず行う。

（2）発音練習に時間をかける。

（3）語彙の数は制限し，自然な速さの話し方による練習を行う。

（4）誤文は与えない。誤った使い方を覚える可能性があるためで
　　ある。

文型練習

（1）代入練習を中心とした機械的な文型練習を反応が反射的にで
　　きるようになるまで大量に行う。

（2）文型は，使用頻度の高いものから低いものへ，やさしいもの
　　から難しいものへ，基本的なものから派生的なものへと提示す
　　る。

会話練習

（1）まず学習した文型や語彙を使用した会話練習を行う。

（2）既習事項の習得が確認されたら自由会話に入る。

この教授法には，流暢に話せるようになる，一定時間内に多量の練
習ができるなどの長所もあるが，批判としては，次の点が指摘されて
いる。

（1）文の構造は同じであっても，意味，用法の異なる句や文の説
　　明が困難である。

（2）意味を理解しないで機械的な練習を行うのは学習者の飽きを

誘い，学習意欲を失わせる。

（3）動物実験に基づいた条件づけ学習理論は必ずしも人間の学習にはあてはまらず，刺激－反応条件による習慣形成や類推のみでは言語の創造的面は説明出来ない。

6．新しい教授法

「非伝統的（Unconventional）」と呼ばれるこれらの教授法に共通して見られるのは，学習者が言いたいことを重視し，教室の主役は教師ではなく学習者とする点である。教師の役目は問題に直面している学習者の洞察を促進する手助けをすることにある。日本語教育においても注目を集めているが，その成果に関する実証的な報告はまだ出ていない。どう教えるかについては述べられているが，何をどこまで教えるかが明確にされていない。日本語教育に取り入れるにはどのような問題があるかをまず明らかにしなければならないだろう。TPR以外は特殊な訓練が要る。

a．CLL（Community Language Learning）

アメリカの神学者であり，教育学者でもあるカラン（Charles A. Curran）によって開発された教授法。学習者は丸く輪になって座り，教師（助言者）は輪の外側に立つ。

第一ステップでは学習者が外国語で言いたいことを次のような手順で録音する。最初の段階では，学習者は他の学習者に対して言いたいことを母語で言う。教師は学習者の後ろに立ち，耳もとで学習者の発話を翻訳する。学習者は，先の自分の発話を外国語に直して言い，テープに録音する。このようにして順次会話を続ける。第二段階では，学習者は助けなしに外国語で言いたいことを言い，次にそれを母語で言ってもよい。第三段階では，外国語で直接話し，求められたときにのみ母語の訳を言う。最後の段階では，学習者は基本的には正しい外国語で話し，教師は自然な表現法として語彙や構文のニュアンス

の違いを教えるようになる。

　第二ステップでは，録音した会話を全部通して再生する。

　第三ステップでは，第二ステップでの会話を今度は，一文ずつ，もう一度再生する。場合によっては板書し，ノートに書き取らせる。学習者は一人ずつあてられた文を訳す。

　日本語教育では，敬語や表現のレベル（デス・マス体か否か）の問題がからんでくるので，この教授法は全く初歩の段階よりも，基礎的レベルを終えた学習者の会話力をつけるために適している。しかし，学習者は自分の学習の記録を手元に残さないと，たとえ話す力がついてきていても心理的に不安を持つ傾向がある。その点で，会話力のみが目的であっても，第三のステップは重要である。また，学習した項目を整理したプリントをまとめとして配布するとよい。これは，教室外での復習の役にも立つ。

　この教授法は日本人学習者を対象とした語学教育よりも，外国人学習者対象の日本語教育で使ったほうが効果があがるようである。日本人学習者の場合には一通り話がすむと，話題がなくなり，だれも話さなくなってしまうのに反して，外国人学習者を対象としたときには，グループ・ダイナミックスのようなものが働いて会話が途切れない。「話してはいけない文化」で育てられた学習者と「話さねばならぬ文化」を背景とした学習者の差ではないだろうか。

　この教授法では，教えるべき語彙や文法項目などは前もって定められていない。教授項目が前もって定められている「先行シラバス」に対して，これは「後行シラバス」と呼ばれる。

b．サイレント・ウェイ（Silent Way）

　アメリカの心理学者ガテーニョ（Caleb Gattegno）が提唱した教授法で，次の五つの考えに基づいている。

　（1）「学ぶこと」は「教えること」に優先する。

（2）学習とは模倣やドリルとは根本的に異なる。

（3）学習するとき，知性は，早急な判断を控えて慎重に試行錯誤を試みてから，結論を出すといった知性それ自体の機能を果たしている。

（4）知性が働くときには，既習のものがすべて動員される。とくに母語を学んだときの経験が使われる。

（5）教師は学習者の活動を妨げたり，回避したりするのはやめねばならない。

　この教授法は，1cm四方の長さと色の異なる10本のロッドと呼ばれる一組の棒，単語表，音素的特長が対照的な色で示されている発音表，図，ワークシートなどを使用する。棒は「家」を表したり，交通事故の様子を示したりというように，象徴的に用いる。教師は，まず，極く限られた範囲の語彙を使って発音と構文的要素の理解と用法を習得させることに力を集中する。どんな場合でも学習者は絶対に必要なものしか与えられない。教師は新しい入力を一つ一つはっきりと発音する。新しい入力は，理想的には一度だけ与えられるのが望ましい。最初から学習者が話し，教師は殆ど沈黙している。常に発話はある動作を伴い，逆に動作はある発話を伴う。学習者が教師の示す視覚刺激を正しく受け取っていない時には，考えさせ，何か非言語的な助けを与える。それでも効果のない場合には，無言で他の学習者に答えさせる。そして最も正しい例を教師が無言で示す。その後に残りの学習者がそれぞれその発話を再生する。この教授法では，学習者は互いに助け合って学び，破壊的な競争を避けることができると言われている。自己の知力によって主体的に理解するよう努力し，そのような能力を自覚する喜びを学習の過程で味わうそうである。

c．サジェストペディア（Suggestopedia）

　ブルガリアの生理学，精神病理学者ロザノフ（Georgi Lozanov）

によって開発された教授法。暗示的教授法とも呼ばれる。ロザノフの学習観は，人間は一般に限界とされている何倍もの速さで学ぶことが出来る，学習とは心身全体が関与する全体的な行為である，個人の学習能力の限界について過去に与えられた暗示的影響を取り除くことによって記憶力の異常増進が可能であるという観察に基づいている。

　教師は権威を持ち，学習者に信頼の念を抱かせなければならない。これは，学習者が子供のような率直さ，柔軟性，独創性を持つ状態（幼児化Infantalization）に達するのを助ける。教室の飾りつけ，机や椅子の配置などにも配慮し，非言語的な面でも否定的暗示は与えないようにする。学習者は外国語の名前と架空の職業を与えられる。教材は原則として10の会話からなり，母語の対訳がつけられる。内容は学習者の日常生活と密接な関係があり，学習者の興味をひくようなものでなければならない。全体的内容を摑ませるために，最初からすべての基本的文法事項を含めるが，実際に学習する語彙や文法項目は限定され，下線で示される。新出語彙には発音記号がつけられる。

　授業は次の手順で行われる。

　解説（Decoding）

　　会話の内容が説明され，教師は学習者の質問に答える。母語を使用してもよい。

　コンサート（Concert）

　　学習者は安楽椅子に腰掛け「コンサートを聞くような感じで」，深くリズミカルに呼吸しながら，教師が音楽をバックに教材を読むのを聞く。

　　第一回目（Active）は，抑揚，間の取り方，音量を変えながら読む。この抑揚や間のとり方は会話の意味とは無関係で構わない。学習者がプリントを見ながら聞く音楽は，古典派及び初期ロマン派を使う。

　　第二回目（Passive）では，学習者は自然な形の朗読を教材を見ずにリラックスした状態で目を閉じて，同じ呼吸法を続けながら聞く。教師は音楽に合わせ，会話の内容にふさわしい抑揚で感情をこめて読まねばならない。音楽はバロックを使用する。

練習（Elaboration）

　　提示された語彙や構文の定着をはかる。学習者による朗読，教師との対話ゲームなどが行われる。会話を中心とした直接法。

　ロザノフの本来の教授法では一日4時間，週6日間の集中コースで，まず前日の復習として上記の「練習」に当たる活動を行い，ついで，その日の教材が「解説」され，「コンサート」には，1時間かける。学習者は2秒間息を吸い，4秒間息を止め，2秒間で吐く。教師は第一回目には，この呼吸法に合わせて，母語訳を2秒間，外国語文を4秒間で読み，2秒間の間をおく。

　この教授法は国や機関によって適宜形を変えて取り入れられているようである。

d．TPR（Total Physical Response）

　アメリカの心理学者，アッシャー（James Asher）によって提唱された教授法。幼児は大人から命令されたことを実行しながら言語を学んでいく。外国語も命令同様の過程を経れば，学びやすいという考えに基づいている。

　教師は学習すべき言語で命令し，その動作をして見せる。学習者は教師の命令通りの動作をすることによって新しい言語を学ぶ。学習者は自分でその言語を使って何か言いたくなるまでだまっていてもよい。教師は学習者の発話を初期の段階で強制してはいけない。

　日本語教育では，命令形として何を使うかが問題になる。「読め」，

「読んで」，「読んで下さい」を使用した例が報告されているが，「～して下さい」が最も適当であろう。「～して，～して下さい」，「～してから，～して下さい」，「～した人を指さして下さい」といったように展開できるからである。

　実際に使ってみると，学習者の年令や社会的背景を問わず楽しく授業を進めることができる。学習者は，始めの段階から新しい表現を使って自分でも級友に命令を出したがった。しかも，この方法を使ったクラスでは，「～て」形の活用形の誤りは全く見られなかった。

　最初の授業からでも使えること，日本語学習では重要な位置を占める「～て」形が簡単にしかも正確に身につくこと，「連体修飾」も早い段階から難なく導入できること，教師が特殊な訓練を必要としないこと，他の教授法と併用できることなどから，日本語教育では，活用できる教授法であり，帰国者を対象とした日本語教育をはじめとして，かなり幅広く使われている。種々の小道具を使用すると効果的である。

7．コミュニカティブ・アプローチ（Communicative Approach）

　言語の意味や機能に注目し，言語のコミュニケーション能力を達成することを目的とする教授法で，A-L教授法や認知学習方式にかわって，1970年代以降の言語教育の主流となっている。Communicative Language Teaching, Notional-Functional Approach, Functional Approachとも呼ばれる。

　第二次世界大戦以後，ヨーロッパ統合運動の過程で教育及び文化的協力のための機関として，ヨーロッパ協議会（Council of Europe）が設置された。この機関は言語教育のための国際会議の開催や教材の出版等の援助をしているが，1970年代の初頭に専門家の協力を仰いで，成人を対象とするヨーロッパ全域にわたる語学教育プログラムの開発に着手した。

　この要請を受けて，英国のD. A. Wilkinsは1972年にコミュニケーション能力の達成を目的とする外国語教授法のためのシラバス（教授項目一覧）を発表した。これは言語のコミュニケーション機能を支える意味体系に基づくもので，意味を「概念」（時間，時点，時間的継続，頻度，順序等の概念）と「伝達機能」（判断，評価，要求，拒否，承諾等の機能）のカテゴリーに分け，それらを語学教育にどう適用するかを示した（Wilkins, D. A., 1976）。

　この考え方はコミュニケーション能力の育成を目的とした入門レベル（threshold level）のシラバスとして具体的に取り入れられ（Van Ek, J. A., 1975），コミュニケーション能力達成のための教材作成やカリキュラム開発に大きな影響を与えた。現在では，相互作用やタスクに基づいたシラバス，学習者が構築するシラバス等，種々のシラバスが考案されている。

　指導の原則としては，学習者の目的を知り，その目的達成に沿ったカリキュラムを組む，従来の文法を中心としたシラバスではなく，概念や機能等伝達能力の育成を目標としたシラバスに基づいて教える，言語項目をそれが使用される全体的な枠組みとの関連で理解させる，「四技能」を区分せずに統合的に指導する，学習者の誤りに対しては柔軟に対処し，言語形式の正確さを強調するあまりに言語使用を犠牲にしない，などがあげられている。

　授業活動としては，ロール・プレイ，シミュレーション，ドラマ，ゲーム，ペア学習，タスク練習，インフォメーション・ギャップを埋める練習などが行われる。

　タスク練習とは，ある課題を遂行する過程を通して言語を学んでいく練習方法で，学習者は目的を持って能動的に学習に参加する。例えば，読解であれば，文の構造の理解よりも，必要な情報を選択するという実際の生活の中での読み方に近い作業をする。「書き方」の例であれば，学習者は情報を求めながら，または，与えられた情報に基づ

いて申込用紙の類の空欄に記入していく。

　コミュニケーションの目的は相互に欠けている情報を埋めあうことにある。したがって，「インフォメーション・ギャップ」というのはコミュニカティブ・アプローチで最も重視されている考え方である（Johnson, K. & Morrow, K., 1981）。インフォメーション・ギャップを埋める練習は，学習者A，Bが互いに相手の知らないインフォメーションを持ち，相互にそのインフォメーションについて質疑応答を交わすという形で行われる（第11章「ドリルの種類」参照）。

　この教授方式は，言語形式だけではなく，伝達過程を重視し，実際のコミュニケーションの場面で言語が使用できるようにすることを目標とした考え方であるが，具体的な指導方法が示されているわけではない。

　従来の日本語教育では，前述したように，学習者の日本語学習目的に合わせて，使える日本語を教えることが鉄則であった。成人を対象とした場合には，成人として適切な表現方法を習得させるための指導がなされてきた。練習の過程では，A-L教授法が中心であっても，構文の習得のみでなく，どう使うかが教えられ，究極的目標は，自分の考えが表現できることにあった。そこには，時間の経済性ということも常に考慮されていたはずである。

　これらの点から，明確な指導方法が示されていないこの教授方式には，特に学習事項の定着度や時間の経済性の面から，疑問を持つ教師も多い（『日本語教育』，73号）。

　これまでの日本語学習者は幸い，学習動機が始めから高かった。しかし，学習者が多様化し，年少者や社会人の層が多くなってきたため，学習動機を喚起するような教え方を導入する必要がある。また，タスクやコミュニケーション・ギャップのある練習などの変化に富む練習方法が工夫されるようになったことは，評価されるべきであろう。

　この方式を取り入れた場合の学習成果に関する研究がようやく出始めたので，どのレベルで，どのような学習者を対象とした場合に適しているか，他の教授法と併用した場合にはどうかなど，長期にわたる見通しに基づいた検討は，今後の問題であろう。

参考文献
（1）市河三喜監修（1970）『英語教授法事典』，語学教育研究所，開拓社．
（2）岡崎敏雄，岡崎眸（1990）『日本語教育におけるコミュニカティブ・アプローチ』，凡人社．
（3）川口義一（1983）「サジェストペディアの理論と実践」，『日本語教育』51号，pp.88-100．
（4）木村宗男（1982）『日本語教授法』，凡人社．
（5）言語文化研究所（1981）『長沼直兄と日本語教育』，開拓社．
（6）三枝恭子（1987）「サイレント・ウェイによる日本語入門——学習者と教師にとっての初日の重要性——」，『日本語教育』63号，pp.123-133．
（7）高見沢孟（1989）『新しい外国語教授法と日本語教育』，アルク．
（8）竹田恵子（1987）「TPRを利用した初級日本語授業」，『日本語教育』63号，pp.105-122．
（9）田中望，奥津令子，小田切由香子（1985）「Council of Europeの言語教育プログラム」，『日本語教育』55号，pp.31-47．
（10）名柄迪，茅野直子，中西家栄子（1989）『外国語教育理論の史的発展と日本語教育』，アルク．
（11）パッシン，ハーバート（加瀬英明訳）（1981）『米陸軍日本語学校——日本との出会い』，TBSブリタニカ．
（12）『英語教育』Vol. 25, No. 3, 4 (1976, 6, 7), Vol. 32, No. 8 (1983, 10),大修館書店．
（13）「特集：コミュニカティブ・アプローチをめぐって」，『日本語教育』73号（1991）．
（14）Bancroft, W. J. (1978) "The Lozanov Method and its American Adaptations", *Modern Language Journal*, Vol. LXII. No. 4, pp.167-175.
（15）Finocchiaro, M. & Brumfit, C. (1983) *The Functional-Notional Approach: From Theory to Practice*, Oxford University Press〔織田

稔・萬戸克憲訳（1987）『言語活動中心の英語教授法——F-Nアプローチの理論と実際』，大修館書店）．

(16) Johnson, K. & Morrow, K. (1981) *Communication in the Classroom*, Longman〔小笠原八重訳（1984）『コミュニカティブ・アプローチと英語教育』，桐原書店〕．

(17) Richard, J. C. & Rodgers, T. S. (1986) *Approaches and Methods in Language Teaching. A description and analysis*, Cambridge Univ. Press.

(18) Stevick, E. W. (1976) *Memory, Meaning & Method*, Newbury House Publishers〔石田敏子訳（1988）『新しい外国語教育』，アルク〕．

(19) Van Ek, J. A. (1975) *The Threshold Level in a European Unit/Credit System for Modern Language Teaching by Adults*, Council of Europe.

(20) Wilkins, D. A. (1976) *Notional Syllabuses*, Oxford University Press〔島岡丘訳注（1984）『ノーショナル　シラバス　概念を中心とする外国語教授法』，桐原書店〕．

第4章　日本語教育の歴史

　ここでは，主として日本語教授法からみた日本語教育の歴史を概観する。

第1節　明治以前

1．キリシタン時代

　16世紀に来日したポルトガルの宣教師は布教上の必要から日本語を学んだ。布教が禁止される（1587）と日本語研究に専念し，文法書や辞書を書いた。これが組織的な日本語学習の始まりであり，彼らの残した書物は，キリシタン物として知られている。このなかには，日本語習得のために書かれた『平家物語』，『伊曽保物語』，外国人の漢字学習のための『落葉集』などの他，『日葡辞書』，ロドリゲスの『日本大文典』，『日本小文典』などがある。

2．欧米の日本語教育

　19世紀半ばになると，日本に開国を迫る対日政策を反映して，ヨーロッパで日本語教育が始められるようになった。1851年にはオランダのライデン大学，1868年にはフランスの国立東洋語学校で日本語教育が始められた。ロシアでは，18世紀に日本人漂流者を教師として通訳養成のための日本語教育が一時行われていたが，1870年にはロシアのペテルブルグ大学東洋学部で日本語教育が始められた。ウィーン大学

でも非公式にではあるが1869年に日本語講座が開かれている。続いて，ナポリ東洋研究所（1871），ベルリン大学（1873）に日本語講座が開設された。アメリカでは，ややおくれ，1913年にハーバード大学で日本文明講座が開かれた。

3．開国後の日本語教育

　幕末から明治初頭にかけて来日した宣教師，学者，外交官らは，日本語を自学自習し，日本語研究の分野で多くの業績を残した。ブラウンの『日本語会話（Colloquial Japanese, 1863)』，ヘボンの『和英語林集成（A Japanese and English Dictionary with an English and Japanese Index, 1867)』，アストンの『日本口語文典（A Short Grammar of the Japanese Spoken Language, 1869)』，サトウの『会話篇（Kuaiwa Hen, 1873)』，チェンバレンの『日本口語便覧（A Handbook of Colloquial Japanese, 1888)』などがある

第2節　明治初頭以後

1．中国人留学生を対象とした日本語教育

　明治10年代に入ると，留学生の受け入れが始まる。1881年，朝鮮からの留学生を皮切りに，日清戦争終結後の1896年には清国からの留学生が来日するようになった。中国人留学生で日本の大学，高等，専門学校を卒業したものは，1901年から1939年までの間に男女合わせて11,966名に達したといわれている（木村宗男，1982, p.287)。これによって，初めて，日本人による日本語教育が主体的に行われるようになったが，漢字系の学習者だったため，国語教育の延長ともいうべきものであったと言われる（『日本語教育事典』，1982, p.620)。

　当時の日本語教育機関としては，東亜学校（1914年高等予備学校として発足）がある。この時期には，中国に渡って日本語を教えた者も

多い。

2．その他の外国人を対象とした日本語教育

　組織的な日本語教育は1900年代に入って東京外国語学校において始められたと言われている（長沼直兄，1981，p.216）。1913年には付属日本語学校が開かれる。同じ年に，宣教師のための日本語学校が開校された。アメリカ大使館では，1923年に長沼直兄が語学将校の日本語教育をパーマの勧めで始めている。この時作った教科書が1931年に『標準日本語読本』として出版された。この他に，外交官を対象とした日本語教育が各国の大使館で個人教授の形で行われた。

　1935年には，「国際学友会」が外務省文化事業部の一環として設立され，私費外国人留学生のための宿舎の世話と大学予備教育としての日本語教育を行った。1943年には「国際学友会日本語学校」として認可される。

3．第二次世界大戦前及び戦中の日本語教育

　一方，日清，日露戦争後は同化政策としての日本語教育が始められる。台湾では，グアンの教授法が取り入れられて効果をあげ，その後，朝鮮半島，旧満州でも直接法が使われた。韓国では，1910年に日本統治が開始されると，日本語は「国語」として教えられた。

　第二次世界大戦中は，東南アジアでも日本語教育が始められた。文部省は教師を養成して派遣したり，「日本語教育振興会」を設立して教材作成，日本語教育用各種参考書の編集，月刊誌『日本語』の刊行に当たらせたりした。

　アメリカでは，第二次大戦中，軍の指導下で集中的日本語教育（ASTP）が行われていた。

第3節　戦後および1980年代頃までの日本語教育

1. 国内

　1951年に，第二次大戦中中断されていた「国際学友会」の日本語クラスが復活し，1953年にはインドネシア政府派遣技術研修生60名を受け入れた。翌'54年には東京外国語大学と大阪外国語大学に一年制の留学生別科が設けられ国費留学生23名が来日した。その後日本の経済発展につれて日本語学習熱は高まり，来日する留学生の数も激増するようになった。

　1972年には「国際交流基金」が発足し，教材の作成と海外日本語教育機関への配布，日本語教師の養成と派遣，海外の日本語教師養成の援助，海外の日本研究者の招待など海外における日本語教育への支援事業を開始した。1974年から1989年に同基金の「日本語国際センター」が開設されるまで，海外日本語講師研修会を日本語教育学会の協力を得て毎夏行っていたが，1989年以降は各種の研修会が年間を通じて行われるようになり，日本語教育のための本格的な対策がとられるようになった。

　1974年には国立国語研究所に日本語教育部が設置され，1976年には「日本語教育センター」として発足した。以後，国内における日本語教育の普及や促進に当たっている。

　日本研究者，宣教師，外交官などに限られていた日本語教育の対象も技術研修生，ビジネスマン，中高生，就学生と広がってきており，帰国生や中国からの帰国者，日本に定住を希望する難民のための教育も日本語教育の領域に含まれる。

　1984年より毎年一回，国際交流基金及び日本国際教育協会が中心となり，「日本語能力試験」が国内及び各国で同時に行われるようになった。1984年には14カ国，85年には17カ国，86年には19カ国で行われている。1級から4級までの検定試験の形をとり，大学入学の参考

とするために 1 級の受験を義務づける学校が増えている。「聴解」,
「文字・語彙」,「文法・読解」に分かれ, 現在では出題範囲や問題も
公表されている。

　日本語教師の養成も, 現職者の再教育も含めて, 語学校, 大学, 国
立国語研究所, 日本語教育学会等で幅広く行われるようになった。
「日本語教員検定制度」の実施が1987年 4 月に文部省より発表され,
日本語教員検定試験が1988年から日本国際教育協会により実施されて
いる。

　日本語を学ぶ目的で来日する「就学生」も増加し, 1989年には, 主
として就学生を対象とする日本語教育施設を備えるため「日本語教育
振興協会」が設立された。

2. 海外

　1950年代に入り, San Francisco講和後, 外国での日本語教育はア
メリカを中心として盛んになり, 日本語教育機関の数も増えた。G. I.
Bill（復員兵援護法）, NDEA（National Defence Educational Act)
等, アメリカ政府の奨学金を受けて日本語を学習した者も多い。アメ
リカの大学で日本語を学ぶ学生数は, 国際交流基金によれば, 次のよ
うに年々増加している。

1958年	837名
1970	6620
1976	9604
1982	約 4 万

　1960年代には,「コロンボ計画」による日本語教育専門家の東南ア
ジアへの派遣が始まった。1960年代後半になると, 日本政府が 7 か国
の 8 大学に日本研究講座を寄贈し, 歴史, 文学等の専門教授 1 名, 日
本語講師 2 名を派遣するようになった。この講座は「寄付講座」と呼
ばれ, その後, 正規の日本語科として定着した。1972年に国際交流基

金が発足以降,「コロンボ計画」と「寄付講座」は一元化された。

1970年代後半には海外で日本語ブームが起こった。シンガポール政府は1978年から,特に外国語習得の能力があると認められた生徒を対象に,中学校の第三国語として日本語教育を開始した。また,オーストラリア,ニュージーランドでも中等教育レベルでの日本語教育が始められている。

韓国では,1973年に高校の選択科目として,週2時間の日本語教育が始められるようになった。大学入試に有利なことから学習者数は激増し,1982年には,281校で347,538名が日本語を学んでいると報告されている(黄聖圭,1982)。1982年からは,夏に韓国で開かれる高等学校日本語教師特別研修会に講師が派遣され,1983年からは,高校の日本語教師が日本での海外日本語講師研修会に参加するようになった。

中国では,1980年から5年間,「日本語研修センター」が国際交流基金及び中国教育部によって北京語言学院内に設けられ,中国全土から選抜された大学の日本語教師600名(毎年120名)が日本から派遣された講師の下で1年間の研修を受けた。1985年からは,日本研究の大学院レベルの「日本学研究センター」が北京外国語学院に開設されている。

外務省及び国際交流基金の調べによれば,1983年現在の世界の日本語学習者数は580,943人で地域別内訳は以下のようになっている(日本語教育学会,『日本語教育のあらまし』,1986年5月)。

アジア	79.30%
北米	7.00
中南米	6.95
大洋州	4.80
ヨーロッパ	1.80

中近東　　　　　　　0.14

　1980年代に入ると国費留学生制度も多様化し，従来の国費による学部留学生，大学院で研究，学習を行う研究留学生に加えて，「日本語・日本文化研修生（日研生）(1979)」「教員研修生(1980)」「高専研修生(1982)」などの制度が設けられた。日研生は，大学3年生以上の日本語・日本文化関係専攻者を対象に，主として日本語力及び日本事情，日本文化の理解を向上させるための研修を日本で1年間行う制度である。高専研修生は高等専門学校や専修学校への留学生である。この他に，外国政府派遣留学生も増加した。

　第二次世界大戦以後の日本語教育は，戦中の戦争目的遂行のために行われた強制的な日本語教育に対する反省の上にたって，現地主導により，各地からの要請に基づいて協力する形で行われている。

第4節　1990年代の日本語教育

　世界の日本語学習者数が急激に増加するとともに，学習者層や学習動機などが多様化しつつある。文部省，外務省及び国際交流基金の調べによれば，現在の内外の日本語学習者の現状は次のようになっており，約10年間の変化の激しさを物語っている。

1．国内（1992年11月現在）（文化庁，1993）

（1）　学習者層

　大学教育を前提とする層，特に大学準備コースである予備教育の対象となる学習者が最も多く，次いで，大学院・大学留学生，学術研究者等，ビジネスマン・主婦，インターナショナルスクール等の在学生の順になっている。

（2）　出身地域

　　　　1．アジア州からの学習者　　　74.5%

　　　　2．北アメリカ州　　　　　　　13.6%

  3．ヨーロッパ　　　　　　5.9%

（3）　職種別

  1．就学生　　　　　　57.2%

  2．小・中・高校生　　17.3%

  3．ビジネスマン　　　　7.4%

  4．留学生　　　　　　　5.4%

（4）　留学生の専攻分野

　工学，経済，文学関係が最も多く，商学関係がこれに次いでいる。

（5）　外国人の小・中学生

　日本語教育を必要とする外国人の小・中学生も急激に増えており，文部省及び地方自治体の教育委員会はその対策に追われている。小・中学生の母語はポルトガル語，中国語，スペイン語の順になっている（社会工学研究所，1992，1993）。

　　　1991年9月現在　　　5,463人（小学生3,978人）
　　　1993年9月1日　　10,450人（小学生7,569人）

2．海外（1990年9月現在）

（1）　学習者層

　初・中等教育機関における学習者が全学習者の67.0%を占め，東アジア，東南アジア，大洋州では15カ国で日本語が必修科目になっている。大学，研究所等の高等教育機関で日本語を学んでいる学習者は全学習者の16.3%である。北米，西欧，東欧では日本語教育を必修としている機関は少ない。

　　　　日本語が必修科目になっている教育機関
　　　　　　中国　　　　　初・中等教育機関の95.9%
　　　　　　インドネシア　　　　　56.7%
　　　　　　韓国　　　　　　　　　56.1%

　　　オーストラリア　　　　　　　　　　41.4%

　　（タイ　　　機関数は少ないがそのうちの65.0%で必修）

（2）　専攻分野

　日本語・日本研究を専攻する学生よりもそれ以外の分野を専攻とする学生が増えている。

　中国で理学・工学・医学を専攻している学生は全世界の高等教育機関の日本語学習者総数の27.1%に上っている。東南アジア，東アジア，中米，南米では理学系専攻学生が比較的多く，南アジア，大洋州，西欧，東欧，中近東では日本語・日本研究専攻者が多い。北米では両分野の専攻学生が均等に存在している（国際交流基金，1992）。

3．日本語学習の動機

　かつての日本語学習の動機は日本文化を研究するためや日本の大学で勉強するためが主なものであった。現在では，日本語を使って働くためや日本で生活するためが多くなってきている（豊田豊子，1989）。

参考文献

（1）江副隆愛（1980）「シンガポールの日本語教育」，『日本語教育』，日本語教育学会41号，pp.121-139.

（2）木村宗男（1982）『日本語教授法』，凡人社.

（3）木村宗男，平高史也（1989）「日本語教育の歴史」，木村宗男他編『日本語教授法』，桜楓社，pp.17-45.

（4）木村宗男編（1992）『講座日本語と日本語教育――日本語教育の歴史』第15巻，明治書院.

（5）言語文化研究所（1981）『長沼直兄と日本語教育』，開拓社.

（6）黄　聖圭（1982）「韓国における日本語教育」，『日本語教育』48号，pp.23-30.

（7）国際交流基金日本語国際センター（1992）『海外の日本語教育の現状　海外教育機関調査―1990年』，第一法規.

（8）社会工学研究所（1992）『平成3年度外国人教育に関する調査研究報告書』.

（9）——————（1993）『平成 5 年度日本語教育が必要な外国人児童・生徒の受け入れ状況等に関する調査の結果』．

（10）豊田豊子（1989）「日本語教育と日本事情——現状と問題点」，『日本語学』Vol. 8, No. 12, pp.21-30．

（11）日本語教育学会編（1982）『日本語教育事典』，大修館書店．

（12）——————（1986）『日本語教育のあらまし』．

（13）文化庁文化部国語課（1993）『平成 4 年度国内の日本語教育機関の実態調査の概要報告』．

（14）森田芳夫（1982）「韓国における日本語教育の歴史」，『日本語教育』48号, pp.1-13．

（15）「特集：多様化する学習者をめぐって」，『日本語教育』66号（1988）．

第5章　日本語教育の目標

第1節　一般的目標

　1961年に文部省調査局内に「日本語教育懇談会」が設けられ，1964年には，『日本語教育のあり方』と題する小冊子が出版された。これには，日本語教育の目標としてどのような日本語を教えるべきかが述べられており（p.9），要約すると次のようになる。

（1）日常生活で一通りに用を足すことができるような日本語。
　　　　　日常の普通の会話や簡単な挨拶が出来，簡単な掲示や標識が読める。自己の行動記録や親しい相手への手紙が書ける。
（2）社会生活あるいは，改まった場で必要な日本語。
　　　　　改まった場で会話や意見の発表が出来，やさしい新聞記事程度のものが読める。改まった手紙や届けが書ける。日本人との会話で支障なく意思の疎通が出来る。ラジオやテレビが分かる。
（3）日本語の学術や文化を理解し，研究するために必要な日本語。
　　　　　大学で専門教育を受けることが出来る。日本語の専門的文献を理解し，報告や論文が書ける。

　（3）では，主として留学生や学者を対象とした日本語教育について述べられているが，技術研修や業務のために日本語を学習する場合には，それぞれの学習目的に従って当然異なった種類の日本語が学習目標となり，一概に言うことは出来ない。

　教授法については，当時の外国語教授法の主流であったA-L教授法の影響を強く受けた提案がなされ，直接法で行うとしてはいるが，効果的と思われる場合には，母語やその他の外国語の使用を認めている。基礎学習の第一段階では，聞く，話すを先行すること，初めから正確な発音や自然な速さを身につけさせること，反復練習により反射的に表現出来るようにすること，文法の知識を与えるよりも正しい使い方が出来るようにすること，文法的知識は聞いたり，話したりする練習の後にまとめとして与えることなどが提案されている。また，仮名の学習に入るまでのローマ字の使用を認めている。語彙は，学習者の日常生活に関係が深いもの，学習の行われる場に必要なもの，社会生活で頻度が高いもの，専攻に応じて特に必要なものを順次与えるとされている。「デス・マス」体を教え，ある程度まで進んだら文章理解のために必要な「デアル」体にも触れる。

　機械的な文型練習のみに偏らず，コミュニケーションの能力を身につけさせる点が重視されるようになった他は，今日の教授法も，基本的には，ここで述べられているのと変わっていない。しかし，ローマ字に関しては，国内では，殆どの機関が初めから仮名を使用するようになっている。

　日本語教育でいう現代の「日本語」とは，標準語，いわゆる東京方言のことである。

第2節　レベル別目標

　初級レベルについては，基礎的事項を習得することといった観点から，漢字などについても日本における日本語教育専門家の間の概念はかなり一致している。しかし，中級，上級の境目に関しては，必ずしも同じようには考えられていないようである。ここでは，主として『日本語教育事典』によるレベル別目標を紹介する。

（1）初級レベル

　学習開始から約200〜300時間の授業時間をかけた段階。基礎的文型，語彙約1500〜2000語，漢字約500字の習得とこれらを使用した聞く，話す，読む，書くの四技能の定着がこのレベルの目標となる。音声面を重視した練習が主として行われる。このレベルでの読み方教材は，学習者のために書き下ろされたものを使用するのが普通である。

（2）中級レベル

　語彙約5000〜7000語，漢字約1000〜1500字程度を習得。読解教材が中心となる。書き下ろし文から，生教材（日本人向きに書かれた文章）を学習者向きに手を加えたもの，原文へと進む。このレベルでのいわゆる文型練習は種々の言い回しや慣用句，成句を理解した上でそれを使用して学習者自身が短文を作るといった形の練習となる。辞書を使用して学習者が自学自習できるようにするのがこのレベルでの目標である。

（3）上級レベル

　学習者が自己の目的を日本語によって達成する段階。語彙は約7000語，漢字は常用漢字の他に約2000〜2500字必要であると考えられている。生教材を使用し，論文やレポートの書き方指導が行われる。

第3節　日本語能力試験の目標

　前述した日本語能力試験は四つのレベルに分けて出題されている。各レベルの認定基準は次のように規定されている。

　　4級　　初歩的な文法・漢字（100字程度）・語彙（800語程度）を習得し，簡単な会話ができ平易な文又は短い文章が読み書き出来る能力。（日本語を150時間程度学習し，初級

日本語コース前半を修了したレベル）

3 級 　基本的な文法・漢字（300字程度）・語彙(1500語程度)
を習得し，日常生活に役立つ会話ができ，簡単な文章が
読み書き出来る能力。（日本語を300時間程度学習し，初
級日本語コースを修了したレベル）

2 級 　やや高度の文法・漢字（1000字程度）・語彙（6000語程
度）を習得し，一般的なことがらについて，会話が出
来，読み書き出来る能力。（日本語を600時間程度学習
し，中級日本語コースを修了したレベル）

1 級 　高度の文法・漢字（2000字程度）・語彙（10000語程度）
を習得し，社会生活をする上で必要であるとともに，大
学における学習・研究の基礎としても役立つような総合
的日本語能力。（日本語を900時間程度学習したレベル）

　国内のレベルであれば，1 級が上級，2 級が中級，3 級が初級後
半，4 級が初級前半にあたると言えよう。

　1993年には，「文字・語彙」,「文法」,「聴解」,「読解」の出題範囲
が，級別に公表された。この出題範囲は今後の日本語教育の目標設定
の一基準となるであろう（国際交流基金，1993）。

　海外の日本語教育では，この能力試験の級が，種々の形態の日本語
教育の一応の目安となっている。例えば，ドイツのある高校で週2
回，2 年間日本語を学習した生徒は大体 4 級程度の日本語力がついて
いる。また，英国のある夏季研修会の 6 週間の集中教育では 4 級合格
を，12週間では 3 級合格が目標となっている。

第 4 節　コース・授業形態別目標

　1982年に出版された『日本語教育事典』によれば，日本語のコース
は三種類に大別される。（p.632-633）

（1）長期の集中コース（大学の日本語専攻課程，留学生の大学進学予備教育，外交官，研究者養成コースetc.）

　　週15時間以上，1年以上のコース。正しい発音とアクセント，仮名及び常用漢字の読み書き，基本的文法と基本語彙約6000語を習得し，これらを使用した言語活動を行う能力を身につけることを目標とする。

（2）ノン・インテンシブコース（一般社会人を対象としたコース，大学の一般留学生のためのコースetc）

　　普通，集中コースの1/2または1/3の進度で学習するコースで，仮名及び漢字1000字程度の読み書きや日常会話ができ，簡単な文章が書け，平易な文章を読む能力を目標とする。

（3）短期の速成コース（技術研修生や短期滞在者等を対象としたコース）

　　基本語彙約500語程度，基本的文法を習得し，日本で生活するために最低限の日常会話が出来るようになることを目標とする。

　他に授業形態別の分け方ができ，実際にはこの分け方による分類が使われることが多い。

（1）学校教育に組み込まれたクラス

　　上記の1及び2のコースはたいていここに分類される。単位の認定，他教育機関への推薦など，コース修了時に学習者をきちんとした形で送り出すための種々の仕事が教師に課せられる。その学校のレベルを維持するための配慮も必要である。その学校が設定した到達目標にあわせてカリキュラムが組まれる。

（2）語学校のクラス

　　一般社会人を対象とする場合が多い。学校の方針にもよるが，この種の授業形態で教える時には，学習者の希望が優先される。

（3）個人教授のクラス

　　　これも一般社会人を対象とすることが多い。この場合も個々
　の学習者に合わせた進度，教授法がとられる。日本語教育では
　この形態が非常に多く，したがって教師の身分の保障がされに
　くい。優秀な教師であれば，新幹線で東京と関西方面を往復し
　て何人もの個人教授を引き受けるといった例も見られるが，生
　活の保障されている家庭の主婦や若い女性が日本語教師の大半
　を占めるといった現象は，ここに起因している。

　その他に帰国生，中国帰国者，インドシナ難民などを対象とした日
本語教育がある。これは，日本社会に定住するための基礎となる日本
語や日本で働くための日本語を教えるわけで，これまで述べてきた日
本語教育とはやや趣きを異にしている。

　帰国生は国内で受け入れる学校も増加し，海外の全日制日本人学校
や補習授業校はこの10数年間に飛躍的に増えていることもあって，日
本語力も昔ほど落ちてはいない。最も大きな問題は書く力，特に教育
漢字以外の漢字力が弱いことである。したがって，同音異義語，同訓
異義語の使い分けや熟字訓などの指導が中心になる。「お茶を濁す」
といったような成句，「我田引水」といった四字漢語，「犬も歩けば棒
に当たる」といった諺も弱さが目立つ。

　中国からの帰国者や難民の日本語教育は，主にボランティアによっ
て行われている。日本語教師の待遇以外にもいろいろな問題を抱えて
いるが，帰国者のための生活語を中心とした教科書が完成している。

　インドシナ難民の日本語教育は，姫路市，大和市，所沢市などに定
住促進センターが設けられ，行われるようになった。

　地方自治体が主催する日本語講座も全国的に開かれている。

参考文献

（1）国際教育協会（1985）『日本語能力試験実施案内』.

（2）国際交流基金（1993）『日本語能力試験出題基準（外部公開用）（「文字・語彙」「文法」「聴解」「読解」）』.

（3）日本語教育学会編（1982）『日本語教育事典』，大修館書店.

（4）文部省調査局（1964）『日本語教育のあり方』.

第6章　日本語教育用教科書について

第1節　教科書の概観

　初・中級レベルでは，日本語教育用教科書を使用し，上級では，市販されている日本人を対象とした書物や新聞，またはその抜粋をまとめて教科書として使う場合が多い。このレベルでは，日本の高校生用教科書も使われる。「口頭表現」のように，コースによっては，教科書は使わず，視聴覚教材を使用する。

　教科書には，各日本語教育機関が自分のところで使用することを目的として編集したものと，特定の学習者を予想せずに作られたものとがある。前者の場合は，一般に，自分の機関でプリントの形で試用した後に必要な改訂を加え，製本して市販する。このような教科書は，各機関の教育条件に合わせて作られているので，市販されていても，使用語彙や漢字，各課に含まれる学習事項の量等に関しては普遍性に欠けることを承知しておかなければならない。普通，教科書毎に，その教科書を終了する学習予定時間，含まれている語彙数，漢字の数が「はしがき」に明記されているので，選択する際の手掛かりとなる。後者の場合は，枠が設定されていないだけにかえって使いにくい面があり，習得すべき学習項目や学習時間に制限を設けないですむ個人教授などに向いている。

　いずれにしても，帯に短したすきに長しで，自己の目的にぴったり合う教科書は，まず存在しない。最近出ている教科書には，細部にこだわるあまり，大筋を見失っているものも見られる。あまりに盛りだ

くさんのものより，学習者がこなしきれる内容のものを選び，適宜，学習者にあった語彙やドリルを加えるなり，プリント教材を作るなりして補うほうが学習者には心理的圧力を与えないですむ。

　初級では，教科書を開けさせ，始めから読むといった教室活動は普通しない。このレベルでは，教科書は授業の「縦糸」のようなもので，教科書に基づいて主として口頭で授業を進め，その内容を学習者の日本語必要度に合わせて適宜肉付けしていくのが，教師の仕事である。教科書を学習者が必要とするのは，クラスでよりも家に帰って復習や予習をするときである。

　現在，初級レベルの市販教科書は大体出揃っている。中級レベルの教科書もかなり市販されるようになったが，まだ選択が限られる。

第2節　教科書選択のための手掛かり

　教科書に何を使うかによって教師の負担も，学習者の学習意欲もかなりの影響を受けるので，教科書の選択は慎重にならざるを得ない。選択に際しては，学習者のレベルの他に何を目的としているか，何をどこまでやりたいのかを考慮し，次のような事項を手掛かりとする。

1. ローマ字書きか漢字仮名交じり書きか（振り仮名つきか）

　非漢字系学習者の場合には，単なる日常会話ができればよいのであれば，ローマ字書きの会話中心の教科書を選べばよい。しかし，もし，日本に数年間滞在する予定であれば，このような目的の学習者であっても，漢字に振り仮名つきの教科書を使用し，平仮名だけは読めるようにしておく方がよい。滞在が長くなるに従ってその利点がわかってくるからである。そうなってからローマ字を平仮名に書き換えるのは，教師の大きな負担となる。また，ローマ字書きの部分が多い教科書を使うと，いつまでも発音がよくならない恐れがある。

　漢字系学習者の場合には，漢字がむしろ理解の助けになるので，漢

字仮名交じり文の読解中心の教科書を選び，発音練習をかねて平仮名を教えることを前提とした方がよいであろう。この場合はその教科書に含まれているドリルの量が問題になる。

2．口頭練習中心か読解中心か

　初級では口頭練習，中級では読解が中心になるのでレベルの問題もからんでくるが，やはり学習者の目的によってどちらを主眼とした教科書を使うかが決まる。初級教科書のなかには，口頭練習と同じ内容を読み方教材としてまとめた部分を含むものもある。学習者が漢字系か非漢字系かによっても異なる。前者であれば，読解中心の教科書を選び，それに基礎をおいた口頭練習を行うといった使用法も考えられる。

3．どんな学習者を対象として編集されているか

　高校生か，大学生か，社会人か，技術研修生か等対象によって文法の説明や語彙の選択が異なる。特に知的レベルと日本語能力とが一致しない場合が多いので，教科書にどんな話題が取り上げられているかは，学習意欲に影響してくる。高校生やそれ以下の年代の学習者を対象とした教科書は，じょじょに出来始めたが，非常に少ない。

4．どのような指導体系を規準にして構成されているか

　指導体系の過程を項目別に順序立てて一覧表にしたものをシラバスという。外国語教育のための主なシラバスとしては次のようなものがある。

　　　「文法」シラバス──文法項目を中心として構成
　　　「場面」シラバス──言語の使用場面を中心として構成
　　　　　　　　　　　　例：「駅で」「郵便局で」等
　　　「機能」シラバス──機能を中心として構成
　　　　　　　　　　　　例：「挨拶」「情報の交換」等

「概念」シラバス――概念を中心として構成

　　　　　　例：「時間」「継続」「時間の関係」等

「主題」シラバス――主題を中心として構成

　　　　　　例：「教育」「余暇」等

　一定の規準にしたがって指導項目を選ぶ「一元的シラバス」と，ある部分では「場面」を重視し，他の部分では「機能」を中心とするというように幾つかのシラバスを組み合わせて指導体系を構成する「多元的シラバス」とがある。

　一般に教科書は何らかのシラバスに従って作られている。どのようなシラバスの教科書が適切かは，コースや学習者の目的による。

5．語彙及び取り上げている主題の適切さ

　ある特定の機関で使用するために作られた教科書は，その機関ではよく使われるが普遍性はあまりない語彙を初期の段階で含むことが多い。また，学生を対象とした教科書が多く，主婦のような一般社会人を対象としたものは比較的少ないので，学習者の目的に応じて語彙表を用意することをあらかじめ考慮して選ぶのも一考である。

6．文法説明の有無

　教科書に文法の説明がついていれば，その部分は自宅学習にまわし，クラスでの時間は教師がいなければ出来ない練習に使うことが出来る。また教師の文法の理解と教科書の練習事項との間に食い違いが出る恐れもない。学習者の母語の問題もあるが，文法説明のついた教科書を使う方が無難である。「教師用手引き」のついた教科書も増えてきた。文法の説明が分かりやすく，矛盾がないか，どの程度まで詳しく説明されているか，必要以上に文法用語を使用していないか，普遍性のある文法用語を使っているかなどが，文法説明つき教科書を選ぶ際の基準となる。

7．ドリルや練習問題は多いか

　ここでは，ドリルを「クラス内で行う口頭練習用の問題」，練習問題を「筆記または口頭で学習者に答えさせる問題」と定義しておく。後者はクラスで行うこともできるが，宿題にすることも可能である。クラスで答え合わせをすることもできるが，クラスでは主としてドリルを行うほうがよい。教師がいなくてはできない活動だからである。クラスでの答え合わせは時間の無駄とみなす学習者もいる。

　教科書に含まれるドリルの量はなるべく多い方がよい。多ければ宿題にまわすことも出来るが，少ない場合には教師が別に用意しなければならない。また，ドリルや練習問題によって学習の定着度も左右されるからである。

8．付属教材の有無

　これも多い方がよいことは言うまでもない。特に漢字の練習帳といった学習者が漢字について自習できるような教材は，漢字の学習も希望する学習者の場合には不可欠である。録音テープはほとんどの教科書についている。

9．学習者が手に入れやすいか，安価か，ハンディか

　幾つかの教科書を除けば，日本語教育用教科書は特殊な書店でなければ購入しにくい。入手方法は海外では特に注意しなければならない点である。必要な冊数は新学期が始まってからでなくては確定しないにもかかわらず日本から取り寄せるには，時間も経費もかかるので，学期が始まってしまってから不足分を注文しても間に合わないことがある。そうかといって取り寄せ過ぎてしまうと，経費は翌年まで教師負担ということにもなりかねない。一般に日本語教科書は高価なので，海外では，学習者に負担させるのは気の毒に思われることすらある。教科書によっては本文以外は分厚い別冊になっているものもあるが，出来るだけ一，二冊にまとまり，持ち運びにあまり不便でないも

のがよい。海外ではやはり送料の問題がからむので深刻である。

第3節　種々の教科書

　現在では多様な教科書が出回るようになった。日本語教科書は日進月歩の勢いで出版，改訂されているうえに，一種の流行ともいえる現象も見られ，使用状況は激しく変化しつつある。ここでは，教科書の歴史上注目すべき教科書及び特徴のある教科書を幾つか取り上げる。内容の詳細は国際交流基金（1976，1983）による。

Ⅰ. 学生・成人向け教科書

（Ⅰ）『標準日本語読本』Ⅰ-5巻（初-上級用）　長沼直兄著　言語文化研究所附属東京日本語学校

　第8巻まであり，6-8巻には漢文や古典が含まれている。ここでは5巻までを紹介する。この他に1958年に刊行されたBasic Japanese Courseがある。これは，初級の基本的な文型と表現を含み，ローマ字で表記されている。

（Ⅰ）a．巻Ⅰ（初級用）

　1950年初版発行。1972年再訂版発行。提出漢字は300字。語彙は第一部1435語，第二部1781語。第一部50課は，『Naganuma's Basic Japanese Course（ローマ字書き）』と同じ内容を仮名書きにし，漢字を若干入れてある。会話体による本文，主要文型（英訳付き），本文に関連した日常よく使われる会話（英訳つき）の構成で学習予定時間は180時間。語彙，単語帳の他，練習帳がついている。

（Ⅰ）b．巻2（中級用）

　1950年初版発行。1964年再訂版発行。漢字仮名交じり文で，提出漢字は3509字。提出語彙は3464語。30漢字で学習予定時間は180時間。2冊の練習帳つき。

（Ⅰ）c．巻3（中級用）

　1950年初版発行。1970年再訂版発行。漢字仮名交じり文で，原本からの文も多く，一部旧仮名づかい使用。提出漢字350字。語彙数2942語。25課。学習予定時間180時間。

（Ⅰ）d．巻4（上級用）

　1950年初版発行。1966年再訂版発行。漢字仮名交じり文で（一部旧仮名づかい）提出漢字数350字。語彙数2760語。20課で学習予定時間180時間。

（Ⅰ）e．巻5（上級用）

　1951年初版発行。1967年再訂版発行。語彙数が3208語である他は，漢字数も課の数も巻4に同じ。最終課には，「高瀬舟（森鷗外)」が収められている。

　読本には漢字仮名交じり表記の本文のみ記載され，語彙，漢字は別冊になっている。

　ここでいう語彙数は別冊の単語帳に含まれる語数である。

　第二次世界大戦前からあった有名な日本語の教科書で世界的に使用されたが，現在使用している機関はもうほとんどないであろう。パーマやベルリッツの教材作成理論を取り入れた手堅い構成の教科書で，副教材も完備しており，使いやすい教科書であった。

（2）『日本語読本』Ⅰ（初級用)，Ⅱ（中級用)，Ⅲ（中-上級用)，Ⅳ（上級
　　用）国際学友会

　1950年代後半に発行され，読むことを中心に聞く・話すを展開させる点を目的とした教科書で，漢字仮名交じり文のデス・マス体で書かれている。「口頭練習帳」（Ⅰ, Ⅱ)，「漢字練習帳」（Ⅰ-Ⅳ別冊）有り。ⅠからⅣまで解説の類はない。東南アジア，南米で広く使われていた。

（3）『あたらしい日本語（Japanese for Today)』吉田弥寿夫他編著　学習研
　　究社（初-中級用）

　1973年初版発行。漢字仮名交じり文で書かれているが，各課の本文

のローマ字書きもつけられている。漢字には総て振り仮名がつけられ，何字教えるかは問題にされていない。語彙数は3800語。30課で各課の構成は，本文（英訳つき），英語による文法解説，ドリル（ローマ字），会話（ローマ字，英訳つき），読み方（第4課以降）。本文は教科書体，読み方は明朝体の活字を使用。「読み方」部分は日本に関する知識を中心に書かれ，多分野にわたる語彙を含む。アクセント等音声に関する表記がないのは惜しい。約200時間の学習で，日常会話と簡単な現代文の読解が出来る程度の日本語能力をつけさせることを目的としている。

　一冊にまとまっていることと使い方によっては初級から中級まで幅広く使えることは利点だが，使いこなすには教師の力量が問われる。ドリルが少ない。

（4）『Beginning Japanese』Part I, II. Eleanor Jorden.　C.E.タトル出版（初級用）

　Part I, 1962年，Part II, 1963年初版発行。ローマ字書きで話言葉の習得を目的としており，漢字，平仮名は提出されない。語彙数はPart Iが約1200語，Part IIが約1100語。Part Iの冒頭には，教室でよく使われる表現が提示され，挨拶用語の学習が出ている。文法の説明は非常に正確でドリルの量も多い。Part Iは20課。Part IIは15課。各課の構成は，1．基本会話（対訳つき），2．会話の語句についての補足説明，3．文法の説明，4．ドリル，5．応用会話，6．練習問題となっている。

　日本語教科書の古典とも言うべきもので，A-L教授法の文型練習が豊富に載せられている。現在でも文法説明はこの本の右に出るものはないと言われている。同じ著者の『Japanese, the spoken language』（講談社インターナショナル，1987）と比較すると，A-L教授法とコミュニカティブ・アプローチとの練習方法の差がよく分かる。

（5）『Modern Japanese for University Students』Part I, 2, 3 国際基督教大学

初-中級用

（5）a．Part I（初級用）

　1963年初版発行。1965年改訂版発行。提出漢字400字。語彙1250語。学習予定時間250時間。40課。各課の構成は，1.文型例，2.英文による文型の解説，3.新出語彙（対訳つき），4.ドリル（英訳つき），5.会話，6.インフォーマルな会話，7.読み方（ローマ字つき），8.新出漢字となっている。20課まで3, 4, 5, 6はローマ字書き。「練習帳（文法，漢字）」有り。

　A-L教授法全盛時代に日本で作られた文型練習中心の教科書で，その後の非漢字系学習者向き教科書の基礎的な型を示したとも言えよう。アクセントや母音の無声化が表記されている。

（5）b．Part II（中級用）

　1966年初版発行。提出漢字600字。語彙2689語。28課。学習予定時間250時間。各課は1.本文，2.漢字（新字と読み変え）で構成され，巻末に単語表（英訳つき）と簡単な文法説明（英文）がついている。資料としては，総て出版されたものを用い，表記法は改めてある。人文，社会，自然科学の各分野を網羅するよう配慮されている。「練習帳（構文，話し方）」有り。

（5）c．Part III（中級用）

　1968年初版発行。提出漢字368字。語彙約2500語。23課。学習予定時間250時間。各課の構成はPart IIと同じ。「練習帳（構文，話し方）」有り。

（6）『Modern Japanese――A Basic Reader（日本現代文読本）』　Vol. I（語

彙とノート）Vol. II（本文）（初級後半-中級用）H. Hibbett, G. Itasaka編著

ハーバード大学

　1965年初版発行。手書き，縦書きの漢字仮名交じり文。始めの三分の一は書き下ろし文で，日本事情に関する素材が多く取り入れられて

いる。文学作品からの引用が多い。課によっては，本文の他に練習文がつく。提出漢字は1428字（旧字体89字を含む）。語彙は約3300語。60課。

　「ヒベット・イタサカ」として知られ，欧米では，初級教科書終了後，この教科書が広く使われていた。

（7）『日本語初歩』国際交流基金　日本語国際センター

　1981年に主として海外で日本語を学習している学生及び一般成人を対象として刊行された。A－L教授法にそった練習方法を採用しているが，応答練習を中心としている。面白さにはやや欠けるものの，手堅く作られている。海外の日本大使館広報センターや文化センターの日本語クラスで使われている。北海道大学日本語研究会編『日本語初歩文法説明』書が凡人社から出ている。

　これに続くレベルのものとして1990年に『日本語中級Ⅰ』（「練習帳」，「教師用指導書」，「カセットテープ」，「語彙索引」付き）が作成された。

（8）『An Introduction to Modern Japanese』水谷修，水谷信子著　ジャパン
　　タイムズ出版部（初級用）

　英文解説付きの教科書で，初級向きではあるが，自然な日本語が取り上げられている。音声上の表記は詳しいが，文法説明や読み方部分はやや弱い。初級の文法をある程度習得し，会話力をつけたい学習者に向いている。教授法の手引き付き。

　英文の文法説明書が別冊で用意されている(University of Michigan.『Supplementary Grammar Notes to An Introduction to Modern Japanese, Part 1 & 2』)。

２．対象別教科書

　最近では，特定の学習者を対象とした教科書も数を増しつつある。

Ａ．技術研修生対象

（１）『新日本語の基礎』I, II　海外技術者研修協会編　スリーエーネット
　　ワーク発行（初級用）

　I．1990年初版発行。II．1993年初版発行。ローマ字版と漢字仮名交じり版とがある。基本文型75と830語を技術研修生に100時間で習得させるために作成された教科書で，次の各国語版がある。Iは英語，中国語，韓国語，タイ語，スペイン語，インドネシア語，ロシア語，ポルトガル語版，IIは，英語，中国語，韓国語，タイ語，スペイン語，インドネシア語版。Iには本文の他に，「文法解説書」，「教師指導書」，「漢字練習帳」がある。

　各課の構成は，文型，例文，会話，練習Ａ（主として代入練習），練習Ｂ（変換，応答練習），練習Ｃ（ロールプレイ），問題（エクササイズ）となっている。

　IIには読解のための読み物がつけられている。他に会話ビデオ（教科書の「会話」部分のビデオ化），復習ビデオ（既習の文型・語彙を数課毎にまとめ復習・応用として使用）がついている。

（２）『技術研修のための日本語』国際協力事業団監修　国際協力サービス
　　センター

　1984年刊行。技術研修生のための日本語教科書で新しい外国語教育理論を取り入れ，行動場面を中心として各課が構成されている。技術研修生の他に理工科系の学習者にも向いている。「職業訓練分野別専門用語集」が用意されている。Book 6 まで刊行されている。

Ｂ．ビジネスマン対象

（１）『Japanese for Busy People』I, 2　国際日本語普及協会　講談社イン
　　ターナショナル（初級用）

　1984年出版。1994，95年に改訂版ができた。英文説明付きで，ビジネスマン対象であるが，ヨーロッパでは，一般社会人や高校生用に使

用されている。課毎の学習事項が少なく，提示があまり体系的でない
ため，大学生向きではない。文法シラバスで練習はA-L教授法に
従っている。本文のみが漢字かな交じり文。附属のVTR教材には，
教科書に含まれない表現も使われ，やや難しいが，成人向きに面白い
話題のスキットが用意されている。海外では日本より安く入手でき
る。

（2）『日本語でビジネス会話』中級編　日米会話学院日本語研修所著　凡
　　人社

　1987年に刊行された教科書で，場面・機能シラバスを採用し，英語
国民を対象としたビジネス用表現の習得を目的としている。

C．中国帰国者対象

（1）『生活日本語』I, II　文化庁文化部国語課　初級

　1983年出版。帰国者が日本で生活していくうえで，日常遭遇する生
活場面を選定し，場面毎に必要な表現の学習を目的とした教科書。日
常の言語行動の記録を基にして編集された。

D．年少者対象

（1）『Japanese』，Anthony Alfonso他編著，Currifulum Development Center,
　　Australia.（初級用）

　Book 1，1976年初版発行。提出語彙は310語で30課まで。

　Book 2，1978年初版発行。提出語彙は約500語で提出漢字51字。
31-60課まで。

　高校生向きで日本紹介の写真やイラストがたくさん取り入れられて
いる。題材をオーストラリアの高校生の生活からとり，英語で何が言
いたいかに基づいて各課が構成されている。各課の内容は次のように
なっている。

　1．英語での発想（Things you would like to say.）と簡単な会話。
2．文型の提示（Make similar sentences.），3．実際の場面にそくし

た会話と表現の説明，4．文法の説明，5．練習問題，6．会話のヒント，7．新出語のリスト。「教師用指導書」付き。1968年初版発行。1972年5訂版発行。ローマ字で書かれているが，「語彙」，「聴解力テスト」は漢字仮名交じり文。基本的な文型を教えると共に会話特有の言いまわしも別に英語で解説。漢字は提出されず，語彙は約1000語。20課で各課は次のような構成になっている。

　1．学習すべき表現意図の解説，2．例文，3．文型，4．文法的説明，5．ドリル，6．会話特有の言いまわしや重要な表現の解説，7．会話例（4課までは基本例と応用例，6課以降は基本例のみ）。5課毎に復習とテストの課がはさまれている。

　動詞から教え始める。受け身，使役文は含まれていない。ドリルはA-L教授法に基づいているが，新しい外国語教育理論の考え方をこの時期に実際に取り入れていた点では，先駆的な教科書である（コミュニカティブ・アプローチの発端となった『ノーショナル・シラバス』はこの教科書と同じ年に出版されている）。

（2）『にほんごかんたん』I，2　坂起世，吉岐久子著　研究社

　1988年刊行。東京のアメリカンスクールでの経験を生かして作られた教科書。コミュニカティブ方式の練習法を取り入れているが，文型積み上げ式で，アメリカの高校でこの教科書を使用した経験者は，大学の日本語コースへつなげる可能性が見込まれる教科書としている。教師のための指導書が付けられている。

（3）『KIMONO』I，2，3　CIS Educational　オーストラリア

　1990年刊行。英文説明が多く付けられている。現在の日本を紹介する写真が豊富に載せられて，数課おきに設けられた「せいかつ」と題する部分では，英文の手紙の形で現代の日本の様子が語られている。

　日本特有の文化的，社会的事物やテーマを中心とするよりも，むしろ，どこの国にでも見られる事柄を題材として日本語の学習がすすめられる。

教材作成に携わっているオーストラリアのある教師は，新しい日本語教材ではステレオタイプ化されたり，極端に単純化されていないもの，文化の違いよりも共通性に重点をおいたもの，生徒にとって適切で興味の持てる事柄を取り上げ，部分的側面のみならず，総合的にバランスのとれた日本社会を伝えたいと述べている（『国際文化フォーラム通信』20号，1993）。

（4）『Lernkartei für den Japanischunterricht an Gymnasien』初・中等教育及び成人教育州立研究所　ノルトライン・ヴェストファーレン州　ドイツ

　1992年刊行。絵入りのカードを使って，語彙，会話，文法，文字，読解を教える教材であるが，日本の高校生の日常生活と同時に日本の行事，日本家屋，天候，地理などといった日本独特の社会的，文化的事項が題材として取り上げられている。

（5）その他

　高校の留学生を対象とした『留学生の12ヵ月』（村野良子他著，1993，凡人社）や国内の外国人の子どもたちを対象とした『にほんごをまなぼう』（文部省編，1993，ぎょうせい）では，日本で学校生活を送るために必要な知識が主題となっている。

3．その他の教科書

A．教科書としても使用できるが，むしろ文法の参考書として役立つもの

（1）『Japanese Language Patterns』Vol. I, 2. A. Alfonso著　イエズス会・上智大学

　1966年刊行。日本語の文型について英語で詳細な説明が加えられている。A−L教授法の時代に，文の構造のみならず，意味の差を重視した解説書で，練習問題も多く含まれている。ローマ字表記。

B．漢字学習用手引き書

（1）『Kanji & Kana』W.ハダミツキー，M.スパーン著　チャールズ・イー・タトル

　1991年刊行。カタカナ，ひらがな，常用漢字を取り上げて，意味，音訓，筆順，用法を英語で説明してある。独，仏，英語版がある。ドイツ語版はコンピューターで学べるように，フロッピーに収めて市販されている。

（2）『Basic Kanji Book 基本漢字500』加納千恵子他著　凡人社

　基本的な漢字500を選び，漢字に関する知識，運用能力，覚え方，整理法を教えることを目的としている。各漢字の意味，音訓，筆順の提示の他に，読み方練習，書き方練習，タスク練習などが含まれている。これに続く物として『Intermediate Kanji Book 漢字1000Plus』（凡人社）がある。

参考文献

（1）河原崎幹夫他（1992）『日本語教材概説』，北星堂書店.
（2）国際交流基金（1976）『教科書解題』.
（3）─────（1983）『日本語教科書ガイド』，北星堂書店.
（4）『日本語教材リスト』，凡人社.

第7章　日本語の音声の特徴と　　その指導

　日本語学習者にとって，母語の差に関係なく難しい日本語の音声的特徴がある。ここでは，これらの特徴を取り上げ，日本語を教えるに当たって少なくともこれだけは知っておきたい事項及び音声の指導上必要な知識について簡単に説明してみよう。

　音の表記にローマ字を使用した時代もあったが，ローマ字を使うとアルファベットの音と結びつきなかなか日本語の音が身につかないこと，種々のローマ字表記がありそれを覚えるよりも仮名を覚えた方が利益が大きいこと，仮名は原則として一字一音で日本語の音と対応させて教えやすいこと，これを習得すれば漢字の読み方も振り仮名で示せることなどの理由から，音と仮名の学習を並行させていくのが最近の一般的傾向である。

　この本で扱う音声器官の名称を次頁の図に示す。

第1節　日本語の音声

1. 音の単位

　日本語の音の単位は「拍（モーラ）」と呼ばれる。日本語の仮名1字（拗音《ようおん》——「キャ，キュ，キョ」等の場合は2字）は，1拍を構成する。各拍を発音するのに要する時間はほぼ等しい。これを徹底させないと，いつまで経っても「外国人的日本語」を話す。「拍」の代わりに「音節」の語を用いたり，「音節」と「拍」を　区別

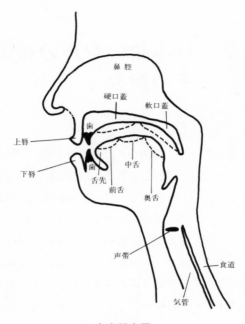

音声器官図

して用いている教科書もある。この場合，「マッチ」は2音節で3拍，「幸福」は2音節で4拍である。

2．音声と音素

ある言語の「意味の差に関わる音」の最小の単位を「音素」と呼び，意味の差には関係しない音声と区別する。音声の最小単位は「単音」と呼ばれる。たとえば，次の「ン」の音は同じ音ではなく，後続の音によって，それぞれ異なる音に変わっている。しかし，意味の差には関係していない。したがって，日本語の「ン」は音声ではなく音素を表している。音素は/ /で，音声は [ ] で表す。

　1．　「ブンガク」,「ブンカ」———［ŋ］

　2．　「ブンタイ」,「ブンダン」,「ブンノウ」———［n］

　3．　「ブンメイ」,「ブンポウ」,「ブンボ」———［m］

　また，日本語では有声の［d］と無声の［t］は意味の差に関係する（例；出る，照る）が，［t］の後に息が続くか（有気），息がないか（無気）で意味が変わることはない。中国語や韓国語／朝鮮語などでは，有気か無気かで，意味が変わってくる。したがって，日本語では/d/, /t/は音素となるが，［t］の有気音，無気音は音素とならない。反対に，中国語では，後者は音素となる。

　上記の［ŋ］［m］［n］は/N/の異音と呼ばれる。

3．母音・半母音・子音

(1) 母音

　有声音が口の中でさえぎられずに自由に出てくる音を母音という。

　日本語（現在の東京語）の母音は/a, e, i, o, u/の5種類である。

　母音は次の四点で特長づけられる。

　　唇の形　　唇を丸めるかどうか。唇を丸めて発音する母音を「円唇（えんしん）母音」，平な形で発音するものを「平唇（へいしん）母音」という。

　　顎の開き　顎を大きく開くかどうか。

　　舌の動き　舌のどの部分が高くなるか。舌の前の方が高くなる母音を「前舌（まえじた，ぜんぜつ）母音」，中ほどが高くなる母音を「中舌（なかじた，ちゅうぜつ）母音」，奥が高くなる母音を「奥舌（おくじた，おくぜつ）母音」という。

　　鼻くうの関与　息が鼻に抜けるかどうか，即ち，鼻音かどうか。日本語の母音は全部非鼻母音である。

　言語によっては口の前方で発音するか後方で発音するかによって特徴づけられる母音を持つものもある（例えば英語の［ɔ］）。日本語の母音はすべて前方で発音される。

　以上の点を母音毎にまとめると次のようになる。

　　　/ a /　　　唇を丸めないで大きく開ける。奥舌。

　　　/ e /　　　平唇。中ぐらいに開ける。前舌。

　　　/ i /　　　平唇。閉じる。前舌。

　　　/ o /　　　円唇。中ぐらいに開ける。奥舌。

　　　/ u /　　　平唇。閉じる。奥舌

　指導に当たっては，母音を明瞭に発音するよう注意を喚起する。「ウ」を唇を丸めて発音する傾向があるので，この点も注意する。

（2）半母音

　半母音は1拍を構成しない母音のことで，ヤ行，ワ行の/y/, /w/である。わたり音とも呼ばれる。日本語の/w/は唇を丸めないよう注意する。

（3）子音

　唇や舌などの障害によって作られる様々な音を子音という。

　日本語の子音は/k, g, s, z, t, c, d, n, ŋ, h, b, p, m, r/の14である。「フ」は唇をかまないこと，ラ行音は歯茎を舌先で弾いて出す音であること，ラ行音とダ行音とを混同しないことに注意させる。

　他に特殊な音として，はつ音/N/（「ン」）と促音/Q/（「ッ」）がある。

4．調音点，調音者，調音法

　子音の発音に関係する器官のうちあまり動かない方の上唇，上の歯，歯茎，硬口蓋，軟口蓋等を「調音点」，比較的動きやすい方の下唇，舌，声門等を「調音者」という。調音点と調音者で作る障害の方

法即ち，発音の仕方を「調音法」という。調音法には次のようなものがある。

　　　破裂（閉鎖）音　息や声を一度完全に止める。カ行，ガ行，パ
　　　　　　　　　行，バ行，「タ，テ，ト，ダ，デ，ド」の子音。
　　　摩擦音　声道内の狭い透き間のために生じる摩擦を伴う音。ザ
　　　　　　　行（語中），ハ行の子音。
　　　破擦音　破裂音で始まり摩擦音で終わる音。「ツ，ズ，チ，ジ」
　　　　　　　の子音。
　　　鼻音　呼気を鼻から出す。ナ行，マ行，「ン」の子音。
　　　はじき音　舌先で上の歯茎を軽くはじく。ラ行音。

　下の表は日本語の子音を調音点，調音者，調音法，有声か無声かで分類したものである（天沼寧他『日本語音声学』，1978，くろしお出版，p.45）。

（左　無声，右　有声）

調音点と調音者 調音法	上唇 下唇	歯，歯茎 舌先	歯茎，硬口蓋 前舌	硬口蓋 中舌	軟口蓋 奥舌	声門
破裂音	p　b	t　d			k　g	ʔ
鼻音	m	n		ɲ	ŋ	
摩擦音	Φ	s　z	ʃ　　　ʒ	ç	x	h　ɦ
破擦音		ts　dz	tʃ　　dʒ			
はじき音		ɾ				

　この表で使用されている記号を簡単に説明すると次のようになる。

　　［p］　パ行の子音。　　　　　　　　［b］　バ行の子音。

[t]	「タ，テ，ト」の子音。	[d]	「ダ，デ，ド」の子音。
[k]	カ行の子音。	[g]	ガ行の子音。
[ʔ]	声門を閉鎖する音。	[m]	マ行の子音。
[n]	ナ行の子音。	[ɲ]	「ニャ，ニュ，ニョ」の子音。
[ŋ]	ガ行鼻濁音の子音。	[Φ]	「フ」の子音。
[s]	「サ，ス，セ，ソ」の子音。	[z]	「ザ，ズ，ゼ，ゾ」の子音。
[ç]	「ヒ」の子音。		
[x]	「ホー」を強く発音したときの出だしの音。	[h]	「ハ，ヘ，ホ」の子音。
[ɦ]	[h]の有声音。	[ts]	「ツ」の子音。
[tʃ]	「チ」の子音。	[dz]	「ズ」の子音。
[dʒ]	「ジ」の子音。	[ɾ]	ラ行の子音。

これを実際に単語の発音に当てはめてみよう。

田，名　　調音点は同じ，調音法は異なる。

巣，四　　調音点は異なるが，調音法は同じ。

パン，晩　調音点は同じ，調音法も同じ。有声，無声の差。

5．長音

長音――「アー」「イー」「ウー」「エー」「オー」の「ー」で表される部分――も１拍として扱う。即ち，「アー」は「ア」の２倍の長さに相当する。仮名表記では，ああ，いい，うう，えい，おう（おお）となり，実際の発音とはずれが生じるので注意する必要がある。同じ母音が連続しても，意味の切れ目のあるもの及びアクセントの高さの切れ目のあるものは，くだけた日常会話では，長音のように聞こえるが，すこしでも丁寧に発音すると長音にはならない（例：「ケート」毛糸，「キー」奇異，「サトーヤ」里親）。音の長短によって意味の差が出てくることを例で示して指導する。

　　例：「ホシ」—「ホーシ」，「オバサン」—「オバーサン」，「ヨジ」—
　　　　「ヨージ」，「セキ」—「セーキ」，「クツ」—「クツー」etc.

　「トーキョー」が「トキョ」になったり，反対に「ビル」が「ビー
ル」になったり，音の長短は外国人学習者の苦手な点の一つであり，
上級になるまで残る問題点である。「長いオですか，短いオですか」
という質問もよく出る。話すときには正しく発音しているように思わ
れる学習者でも，漢字に振り仮名を付けさせてみると長・短の差を理
解していないことが分かる場合もある。

6．はつ音「ン」

　「ン」は「はつ音」または「はねる音」と呼ばれる。これだけで1
拍を構成することから，特殊拍ともいわれる。後続する音の影響を受
けて異なる音となるが，意味の差はない。

両唇音 [p,b,m] の前	[m] になる。
	例：「シンパイ」，「コンブ」，
	「シンマイ」
歯茎音 [t,d,ts,dz,tʃ,dʒ,n,r] の前	[n] になる。
	例：「ホント」，「ホンド」，
	「ハンツキ」，「カンゼ」，「カ
	ンチ」，「カンダ」，「カンナ」，
	「カンロ」
歯茎硬口蓋鼻音 [ɲ] の前	[ɲ] になる。
	例：「コンニャク」
軟口蓋音 [k,g] の前	[ŋ] になる。
	例：「ゲンコウ」，「ゲンゴ」
母音，半母音の前	後続母音の鼻音になる。
	例：「ケンアク」，「ケンオ」，

「ケンイ」,「ケンエキ」,「イ
ンウツ」

　母音，特に「オ」の前では「オ」を「ノ」と発音してしまわないよ
うに注意する。例えば，「ホンヲ」が「ホンノ」,「ゴハンヲ」が「ゴ
ハンノ」となる。このような場合には，舌の位置に気づかせ，舌先を
下顎につけたまま「オ」を発音するよう試みさせる。一番大事な点
は，「ン」が1拍を形成することを常に意識させることである。「コ
ブ」―「コンブ」,「コナ」―「コンナ」,「アナ」―「アンナ」,「コロ」―「コ
ンロ」,「イキ」―「インキ」,「サカ」―「サンカ」のように「ン」の有無
によって意味の差が生ずることを示した上で，指を折るなどして拍数
を数え，拍の長さを身につけさせる。

7．促音「ッ」

　促音「ッ」は，原則として，無声子音の直前に現れる。「ン」と同
じように1拍を構成する。「ッ」の有無により意味が異なることを理
解させる。

　　　例：「マチ」―「マッチ」,「キテクダサイ」―「キッテクダサイ」,
　　　　　「イテクダサイ」―「イッテクダサイ」etc.

　促音の誤りは書き取りテストの度に必ず一つは見られる位多い。特
に多いのは，「キテクダサイ」が「キッテクダサイ」となるように，
不必要な促音の起こる例である。漢字の読み方を教える場合にも
「ッ」の有無をはっきりと示しておく。

8．母音の無声化

　母音の無声化とは，音を出す構えはするが，声帯は振動しない現象
で「ス̥キ」「sɯ̥ki」「ス̥キ」などのように書き表される。東京語では，
次のような場合に起こる。

a．「キ，ク，シ，ス，チ，ツ，ヒ，フ，ピ，プ，シュ」等がカ，
　　サ，タ，ハ，パ行の前にきたとき（「ッ」を間においた場合も含
　　む）。アクセントの高さの切れ目にきた場合には無声化しにくい。
　　　　「シキ」，「キク」，「クスリ」，「ススム」，「チカラ」，「ツキ」，
　　　　「ヒトリ」，「フタリ」，「ピクピク」，「ゲシュク」，「キップ」
b．無声子音の後の語末，文末の「キ，ク，シ，ス，チ，ツ，ヒ，
　　フ」（アクセントの高さの切れ目にきた場合を除く）
　　　　「～デス」，「～マス」，「カク」，「エキ」，「イツ」，「ショチ」，
　　　　「ギフ」，「ユウヒ」
c．無声子音の前の語頭の「イ，ウ」
　　　　「イキマス」，「イキル」，「ウク」，「ウツル」
d．「カ，コ」が低いアクセントで発音され，同音が続く場合
　　　　「カカル」，「ココロ」
e．「ハ，ホ」が低いアクセントで発音され，次の拍の母音が同じ
　　場合
　　　　「ハカ」，「ホコリ」

　教科書によっては，無声化した母音の表記に配慮していないものも
多く，この現象を知らない学習者も時折見掛ける。このような学習者
の発音は「スキ（好き）」が「スウキ」に，「～デス」が「～デスウ」
になってしまう。
　東京語の母音の無声化は，軽快で，歯切れのよい感じを与えるのに
役立っている。しかし，外国人学習者にとっては日本語の聞き取りを
最も難しくしている現象である。「キクヒト」，「キキツヅケル」等の
ように無声化が続く場合は特に難しい。

9．ガ行鼻濁音

　語中，語尾のガ行音及びギ「ギャ，ギュ，ギョ」は鼻音化する場合
が多い。例えば，「ガッコー」の「ガ」は鼻音にならないが，「ショー

ガッコー」,「ダイガク」の「ガ」は鼻音化する傾向にある。ガ行鼻濁音は日本語の標準的発音として望ましいものとされており，どの日本語教科書でも触れられているが，日本人の中にもこの発音のできない世代が育ってきており，日本語教育の現場でも実際にこの発音練習をさせている例はあまり多くない。強調しすぎると，すべてのガ行音を鼻音化してしまうおそれもあるので，あまり神経質にならないほうがよい。ガ行鼻濁音は「カ°・キ°・ク°・ケ°・コ°・キ°ャ・キ°ュ・キ°ョ」と表す。

10. 拗音　「キャ，キュ，キョ」「シャ，シュ，ショ」etc.

　「キ」+「ャ」で1拍を構成する。これを1拍に発音するのも，直音と聞き分けるのも外国人学習者には難しい（例：「ビョーイン」と「ビヨーイン」）。語末の拗音は長音として捉える傾向がある（例：「イッショ」→「イッショー」）。「シンジュク」と「シンジク」，「サンジュツ」と「サンジツ」というように「ゆれ」（人によって使い方に差があるがどちらも正しいと認められているもの）の見られるものもあるが，拗音と直音の差が意味の差を導く場合もあるので，拗音の発音は拍の感覚と共にしっかりと教えておく必要がある。

　　　　　手術──史実，助手──女子，客──規約，量──利用，死守
　　　　　──刺しゅう，選挙──戦況

第2節　日本語のアクセント

1. 高低アクセント

　日本語のアクセントは高低アクセントと呼ばれる。東京語のアクセントは次のような特徴を持っている。

　a.「高」,「低」の変化は，拍の切れ目に現れ，同一の拍内で高さ

が変わることはない。

b．最初の拍と二番目の拍とは，必ず高さが違う。これは，語の始まりを表すのに役立っている。

c．「高」の拍が一語の中で二か所に別れて存在することはない。これは，一つの単語としてのまとまりを示す。

d．高さが変わっても拍の長さは変わらない。

２．アクセントの型

アクセントの型は，語中の「下がり目」（「高さ」の切れ目とかアクセント核とも呼ばれる）の有無によって二つに大別される。前者は起伏型，後者は平板型と言われている。

平板型，即ち「アクセントのない」語の第一拍は低く，第二拍との切れ目で「高」に変わる。

起伏型は，「下がり目」の位置によって更に尾高（おだか）頭高（あたまだか）中高（なかだか）に三分される。

例：平板型　　気（が），日（が），鼻（が），厚い，変える，悲しい，学校

　　起伏型

　　尾高　　花（が），橋（が），頭（が），弟

　　頭高　　木（が），箸（が），帰る，挨拶

　　中高　　暑い，あなた（が），あさって，手伝う

活用によって下がり目の位置が変わる場合もある。

　　　アツイ（暑い）　　　　アツク

　　　アカイ（赤い）　　　　アカカッタ

複合語の場合は下がり目が一つになる。

名　詞　の　型

型の種類 ＼ 拍数	一 拍 の 語	二 拍 の 語	三 拍 の 語
平板式 ／ 平板型	キ (ガ) 気 (が)	ハシ (ガ) 端 (が)	デンキ (ガ) 伝記 (が)
起伏式 ／ 尾高型		ハ シ (ガ) 橋 (が)	オ ト コ (ガ) 男 (が)
起伏式 ／ 中高型			オ ト メ (ガ) 乙女 (が)
起伏式 ／ 頭高型	キ (ガ) 木 (が)	ハ シ (ガ) 箸 (が)	デンキ (ガ) 電気 (が)

一　　覧　　表

四 拍 の 語	五 拍 の 語	六 拍 の 語
キョーダイ (ガ) 鏡　台 (が)	ガイコクゴ (ガ) 外　国　語 (が)	カンコーセン (ガ) 観　光　船 (が)
イモート (ガ) 妹 (が)	オショーガツ (ガ) お　正　月 (が)	カイカイノジ (ガ) 開　会　の　辞 (が)
キョーカショ (ガ) 教　科　書 (が)	ジョーリョクジュ (ガ) 常　緑　樹 (が)	カンショーシュギ (ガ) 感　傷　主　義 (が)
キョクナイ (ガ) 局　内 (が)	カイコロク (ガ) 回　顧　録 (が)	カンコクアン (ガ) 勧　告　案 (が)
	ジョガクセイ (ガ) 女　学　生 (が)	カンコーキャク (ガ) 観　光　客 (が)
		オマワリサン (ガ) お　巡　り　さん (が)
キョーダイ (ガ) 兄　弟 (が)	ガイダンス (ガ) (が)	ダイジングウ (ガ) 大　神　宮 (が)

注.　●は名詞の一拍を，○は助詞の一拍を示す。
表記形式は『明解アクセント辞典』三省堂による。

$$\overline{ムカシ}+\overline{ハナシ} \qquad \overline{ムカシバナシ}$$
$$\overline{アオモリ}+\overline{ケン} \qquad \overline{アオモリケン}$$

第3節　イントネーション・卓立

アクセントが単語を単位とした音の高低を問題にするのに対して，イントネーションと卓立（プロミネンス）は文を単位として音の高低，強弱の推移を問題にする。

天沼寧他（1978）によれば，卓立は「話のことば文の中のある部分を際立たせて文の意味を明確にする機能」であり，イントネーションとは「話文末に現れる音の高低の変化による，話し手の心的態度の表出の形式」である。

第4節　学習上の問題点

促音，はつ音，長・短のようにどの学習者にとっても難しいものもあるが，個々の学習者の持つ問題点は，母語により異なる。一般的に注意すべき点としては次のようなものがある。

クラスでは，音声学的説明は避ける。しかし，ただ教師の後について単に発音を真似させるだけよりも舌の位置や発音の方法を具体的に示す方が効果的である。

Ⅰ．清音，濁音，半濁音

韓国語，中国語を母語とする学習者をはじめ，アジア系の学習者に多く見られる問題である。言語によっては，有気音（強い息を伴った発音），無気音の差によって意味の差を生じるものもあり，これが日本語の清音，濁音，半濁音の聞き取りに影響を及ぼす。例えば日本語のカ，ガ行，タ，ダ行，パ，バ行には有声音と無声音があるのに対し，中国語（普通語）には濁音がなく，清音の有気音と無気音の対立

（意味の差を生じさせる）がある。そのため，これらの音の清濁を混同しやすい。上記のいろいろな例に示したように，ミニマル・ペアー（一つの点だけが異なる一組の言葉）を用意して聞かせたり，発音させたりする他に，漢字の読みは必ず振り仮名をふって示す等，文字を媒介として教えるのも一案である。

２．ラ行音

　ラ行音は舌先で歯茎を軽くはじいて発音する。調音点も調音者も似通っているため，ラ行音とダ行音を混同し「コドモ」が「コロモ」になる。ラ行音が軽くはじいて発音するのに対してダ行音は舌先で強く歯茎を押し，破裂を伴う。また，中国の南方方言を母語とする学習者には，ラ行とナ行の混同が見られ，「ナンボク」が「ランボク」になる。

３．拗音

　前述したように，拗音を１拍で発音したり，直音と拗音を聞き分けたりするのは難しい。特に英語国民は，ラ行の拗音が苦手で，「リョカン」が「リヨカン」となる。「リ」，「ヤ」の各音を発音させ，「リ」を発音する構えで始まり「ヤ」の構えで終わることが理解出来てから，「リャ」と一息で発音させる。サ，ザ行音も問題が多く，韓国人学習者は語中の「ズ」を「ジュ」と発音する。タイ語国民には，「ス」，「ツ」，「チュ」の混同が見られる。

４．「フ」は下唇をかまないで発音する。

　「フ」を下唇をかんで発音する学習者が多い。唇をかまずに上唇と下唇の狭いすき間から息を出しながら発音するよう指導する。

５．アクセント

　英語国民は強弱アクセントのくせがなかなか抜けない。アクセントの「下がり目」の直前の音を強く長く発音する傾向があるので，正し

いアクセントを聞かせながら，アクセントの型を図示すると同時に，拍の等時性にも注意を向けさせる。

　また，否定形の「ナイ」の「ナ」を強調する傾向が欧米系の学習者には見られる。このような場合には，アクセントの型を示したほうが分かりやすい。

ヨマナイデ　　　　　　　　　　誤
ヨマナイデ　　　　　　　　　　正

　韓国人学習者にはハシ（箸－橋），カキ（柿－牡蠣）等の差の聞き分けは非常に難しい。日本でも方言によってはこのような差のないものもあり，一型式アクセントと呼ばれている。

　日本語を学ぶ欧米人には，中国語の素養のある者が多い。欧米の大学では，アジア語科で日本語が教えられており日中両語の学習が課せられること，中国関係の資料が日本に多く保存されているために中国研究者も日本語の知識を必要としていること等の理由からである。このような学習者は中国語の四声の影響を受けて，拍の中で高さを変えようとする。「歌う」ようなアクセントをつける学習者がいたら，拍の中ではなく，拍の切れ目で高さを変えるように指導すればよい。

　特定の効果的発音矯正法といったものは存在しない。前述したように，学習者の母語，場合によっては方言の差によって問題点が異なるからである。いずれの場合でも，まず，学習者の発音をよく聞き，その音をテープに録音するなりして学習者に自分がどのような発音をしているかを理解させる。次にその音と正しい日本語の音との差をできるだけ具体的に——口の形，舌の位置，舌が軽く触れるのか強く押すのか，口の前方で発音するのか後方でか，類似音とはどう違うかetc.——を指摘する。そのためには各音の調音法の知識が役に立つ。学習

者の発音と正しい音との距離によって異なる矯正法が必要となる。単にモデルとなる音を聞かせて模倣させるのみでは不十分である。単音のみではなく，単語や文単位の練習，殊に語頭，語中に現れる場合の練習をする。

　初級段階での発音矯正は確かに重要ではあるが，一度に完全に矯正することは不可能であるし，学習意欲低下の原因にもなる。まず，自分の問題に気づかせることが肝要であり，根気よく，繰り返し直していくようにしたい。

　日本人は自分が外国語を学習する際の苦労から推察するせいか音声の学習を強調するが，一般的に言って日本語の音声はやさしい。しかし，初級レベルでの学習がかなめであることは言うまでもない。

参考文献

（1）天沼寧，大坪一夫，水谷修（1979）『日本語音声学』，くろしお出版.
（2）今田滋子（1981）『発音』，教師用日本語教育ハンドブック6　国際交流基金.
（3）大野晋他編（1977）『岩波講座日本語』5，岩波書店.
（4）川上秦（1977）『日本語音声概説』，桜楓社.
（5）金田一春彦（1965）『明解アクセント辞典』，三省堂.
（6）国立国語研究所（1990）『日本語の母音，子音，音節——調音運動の実験音声学的研究——』，国立国語研究所報告10，秀英出版.
（7）杉藤美代子（1989，1990）『講座日本語と日本語教育』第2，3巻，「日本語の音声　上・下」明治書院.
（8）文化庁（1971）『音声と音声教育』，日本語教育指導参考書1.
（9）水谷修（1978）「外国人に対する日本語教育」，『岩波講座日本語』別巻，pp.89-128.

第8章 日本の文字とその指導

第1節 日本の文字の特色
日本の文字は次のような特色を持っている。

a．日本語では，カタカナ，ひらがな，漢字，数字が使われ，それ
　　ぞれ，独自の役割を果たしている。

b．仮名は原則として一字が一音と対応しているので，仮名を知っ
　　ていればどんな語でも書き表せる。

c．表音文字（仮名）と表意文字（漢字）を併用している。

d．同じ言葉がいろいろな方法で表記できる。目で読み分けること
　　によって，言外の意味を文に持たせることができる。金田一春彦
　　（1981）には，上田敏の「山のあなた」のヒトの使い分けの例が
　　紹介されている。「山のあなたの空遠く「幸い」住むと人のいふ。
　　ああ，われひとと尋めゆきて……」のように，「人」は世間一般
　　の人々を指し，「ひと」は自分の知人，友達を表している。

e．活用語尾や助詞は仮名で書かれ，名詞や活用語の語幹は漢字で
　　書かれるので漢字は常に文節の最初の部分にくる。そのため，分
　　かち書きをしなくても分かる。

f．漢字のみを拾い読みをすれば大体の意味はすぐに分かる。

その他に日本の漢字の特色として，次の点があげられる。

g．中国や韓国の漢字が原則として一字一音であるのに対し，日本

の漢字の半数以上は音と訓を持っている。

h．読めなくても意味を伝達させられる（例：隔土休社保完，駅歩
　　5 分）。文学作品などには，音読を期待していない漢字の使い方
　　も多い。

i．言葉の意味が誰にでもすぐわかる。

　　例：水力発電＝水の力を使って電気を作る。

j．既存の漢字や漢語の組み合わせや短縮で新語を作る。聞いたの
　　では，意味がわからなくても，見ればすぐ分かる。

　　例：原発＝原子力発電所，臨調＝臨時調査委員会

k．漢字，ひらがな，カタカナのそれぞれに特有のイメージがあ
　　り，用途によって使い分けられている。

　多様な文字を使い分けていること，「聞く言語」としてよりも「見
る言語」としての特性が強いことは日本語の学習に大きな影響を与え
ている。前者は漢字系の学習者にとっても日本語の文字学習を難しく
し，後者は口頭による学習と同時に文字の学習も始める方がよいこと
を示唆している。

第 2 節　文字の種類と役割

1．カタカナ

　平安時代初期に僧侶が漢文の仏典を読むときに，訓読に必要な句読
点，返り点，活用語尾，助詞，助動詞などを本文の行間に書き加え
た。これがカタカナの起こりであるとされている。最初は，真仮名
（一字一音の漢字で，そのまま仮名のように使ったもの）をそのまま
用いたが，次第に簡略化して使うようになり，独立した文字として成
立した。漢字をそのまま使ったもの，漢字の一部を使ったもの，草書
体の変形したもの，その他に大別される。次の漢字がカタカナの元に

なったとされている。

於已曾止乃保毛与呂乎
オコソトノホモヨロヲ

江介世天祢部女　礼恵
エケセテネヘメ　　レヱ

宇久須州奴不牟由流
ウクスツヌフムユル

伊幾之千二比三　利井
イキシチニヒミ　　リヰ

阿加散多奈八万也良和
アカサタナハマヤラワン
（字源不詳）

カタカナは次のような事項を書き表す場合に使われている。

　外国の地名や人名。外国語や外来語。擬声語や擬態語（擬態語には平仮名を使う場合も多い）。動・植物名。専門用語。固有名詞。特に強調したり目立たせる意図で使われる場合。特別な意味を持たせる場合。

② ひらがな

　奈良時代には漢字の音訓を表音文字的に用いて日本語を書き表していた。これは「万葉集」に多く用いられているので「万葉仮名」と呼ばれている。奈良時代末期になると，万葉仮名の字形がくずれて「草がな」ができ，平安時代中期には，さらに優美さを加えたひらがなが成立した。女性の間で用いられたので，「女手（おんなで）」と呼ばれた。女手を中心とする仮名書道が発達し，芸術的にも洗練された曲線美を持つ字体が生み出された。また，変化を求めるために幾通りもの字体が使われた。現在の字体は，1900年の小学校令施行規則によって定められたもので，これ以外のものは変体仮名として使われている。

　平仮名の元になった漢字は次のようなものである。

於己曾止乃保毛与呂遠
おこそとのほもよろを
衣計世天祢部女　礼恵
えけせてねへめ　れゑ
宇久寸川奴不武由留
うくすつぬふむゆる
以幾之知仁比美　利為
いきしちにひみ　りゐ
安加左太奈波末也良和无
あかさたなはまやらわん

　現代の日本語では漢字仮名交じり文に使われるが広告等で柔らかい女性的な感覚を求める場合には，漢字を避けて平仮名が使われている。

③．漢字

　漢字がいつ日本に伝えられたかは，今でも明らかではない。一般には，5世紀以前に朝鮮を通じて入ってきたと考えられている。『古事記』によれば，応神天皇の時代に朝鮮半島から王仁（わに）が『論語』と『千字文』をもたらしたとされている。

　6世紀ごろになると，上流階級の日本人が漢字を学ぶようになり，文字の使用はじょじょに広がっていった。やがて，万葉仮名のように漢字で日本語を表すことができるようになる。主として男性が用いていたが，鎌倉時代には，漢字とひらがなの和漢混交文が使われるようになった。

　日本で編集された最大の漢和辞典である諸橋轍次『大漢和辞典』には約5万字が収められている。しかし，日常使用する漢字については，昭和21年に当用漢字1850字が制定され，使用範囲が制限されていた。新聞，法令，公用文，教育界はこれに従ったがあまりにも制限的であるとの批判が起きたため，昭和56年の常用漢字表1945字により，制限を緩和した。これは漢字使用の目安を示すのみとされている。

　普通の新聞では，国立国語研究所の調査報告『現代新聞の漢字』に

よれば，2500-3000字種の漢字が使われている。次の表は異なり字数
の出現順位とそれが全体に占める割合を示したものである。

上位100字まで	40.2%	1500字	98.4%
200	56.1	2000	99.6
500	79.4	2500	99.9
1000	93.9	3000	99.9

　現在使用されている字体の標準は昭和24年に制定された「当用漢字
字体表」によって定められた。この字体は常用漢字表にもそのままう
けつがれている。もとの字体を「旧字体」，当用漢字字体表できめた
字体を「新字体」と呼ぶ。この字体表は点画の長短，方向，曲直，は
ね，とめ，はらいなどについて，必ずしも拘束するものではない。小
学校の漢字指導では，教科書体（教科書に使用されている書体）を教
えることになっている。日本語教育でも同様である。

④ 数字

　日本語では算用数字と漢数字が使われている。縦書きでは原則とし
て漢数字を，横書きでは算用数字を用いる。

（1）漢数字

（a）一般的な縦書き

　漢数字には一，二，三の系列と壱，弐，参，拾の系列がある。前者
は十，百，千，万，億，兆の単位語をつけて使われ，後者は小切手や
不動産登記簿等書き変えられる恐れのあるものに使われる。現代表記
で使われるのはこの四字だけである。

　　例：一兆八億二十万五千六百三十円’昭和六十二年七月九日’午後零
　　時四分

（b）西暦年号，係数，指数，番地，郵便番号，電話番号，等。

　単位語を省き，算用数字のように数字だけ並べる。大きな数字は三

桁毎に「，」を入れる。概数の場合も間に「，」を入れる。

　例：１，九六七年，大田区四丁目二六の三，〒一や五，電話〇四１１１　一八五一二三六や，四二，六六九八，二，四四，四，五日，五六〇％

（ｃ）分数，小数

　小数点には「・」を用いる。

　例：三分の１，五百分の五・五，〇・四六

（ｄ）略した日付や時刻

　日付や時刻を略す場合にも「・」を使う。

　例：昭和六二・や・一九，午前１・三〇

（ｅ）見出し，スポーツの記録，特殊な書き表し方

　縦書きでも算用数字やローマ字と併用する。

　例：Ａ４判，日本新記録10分25秒３，ＤＣ７

（ｆ）熟語

　漢数字で表す。

　例：四捨五入，八百屋，八十八夜，三日月

（２）**算用数字**

　算用数字は横書きの場合に用いられる。（文部省編『国語の書き表し方』1950，『文部省，公文書の書式と文例』1974による。）

（ａ）一般的な場合。

　　　　例：第38回総会，男子15人，女子 8 人，合計23人です。

（ｂ）次の場合は漢字を用いる。

　　ア．慣用的な語，または数量的な意味の薄い語。

　　　　例：一般，一種独特の，「七つのなぞ」，現在二十一世紀の世の中では

　　イ．「ひとつ」，「ふたつ」，「みっつ」などと読む場合。

　　　　例：二間続き，三月ごと，一つずつ，五日目

（ｃ）次のような場合には，漢字を用いることができる。

　　ア．万以上の数を書き表すときの単位として，最後にのみ用い
　　　る場合。

　　　例：100億，1,000万

　　イ．概数を示す場合。

　　　例：数十日，四，五人，五，六十万

（d）数のけたの区切りについては，三けたごとにコンマ(,)を用い
　　る。

（e）小数，分数，帯分数は3.1425，0.125，⅓，$\frac{1}{3}$，1⅓，$1\frac{1}{3}$のよ
　　うに書く。

（f）日付は昭和62年5月29日のように書く。必要な場合には昭和62.
　　5.29と略して書いてもよい。

5.　ローマ字

　　ローマ字のつづり方には，標準式，日本式，訓令式の3種類があ
る。標準式はいわゆるヘボン式で子音を英語式に表す。日本式は日本
語の音の体系に基づいたつづり方をする。訓令式は日本式に近いもの
で，1937年の内閣訓令によって採用されることになった。現在のロー
マ字のつづり方は1954年12月の内閣告示「ローマ字のつづり方」に示
されている指針に従う。第一表は一般に国語を書き表す場合に用いる
とされ訓令式を採用している。第二表は，第一表にもれた標準式と日
本式のつづりで，国際的関係その他従来の慣例をにわかに改めがたい
事情にある場合に限って使用しても差し支えないとされている。

　　第一表によればサ，タ行はsa, si, su, se, so, ta, ti, tu, te,
to, その拗音はsya, syu, syo, tya, tyu, tyoとつづる。「ン」は
"n"と書き，次にくる母音字やyと切り離す必要のあるときには，n
の次に'を入れる（例：tan'i, kin'yobi）。促音は子音字を重ねて表す
（例：kitte, zassi）。長音は母音字の上に"＾"をつけて表し，大文字
の場合は母音字を重ねてもよい（例：obâsan, Oosaka）。文の書き

始めおよび固有名詞は語頭を大文字で書く。固有名詞以外の名詞の語頭を大文字で書いてもよい。この方式で「今日，私は一時に大阪の伊藤さんの学校へお邪魔します」を書くと"Kyô, watakusi wa itizi ni Oosaka no Itôsan no gakkô e ozyama simsu"となる。

　日本語教科書のローマ字表記はまちまちで，統一されていない。

第3節　表記の基準

　現代かなづかいは1986年に出された国語審議会答申「改定現代仮名遣い」にしたがっている。このかなづかいは，現代語音にもとづいており，幾つかの例外を除いては，発音どおりに書き表すことを原則としている。送り仮名については，1973年に，外来語の表記については，1954年に原則が示されている。

　これらの原則の中には矛盾の見られるもの，使い方にゆれのあるものなど，種々の問題があった。特に外来語は，原音に近い表記法をとる傾向が強くなってきているので原則と一般に使われている書き表し方の間にはかなりのずれが見られるようになり，国語審議会外来語表記委員会が1991年に原音に近い表記を認める答申「外来語の表記」を文部大臣に提出した。外来語の表記は日本人が日本語の音節構造にしたがって聞き取る外国語音を基にしているため，異なる聞き取り方をする外国人学習者にとっては，非常に難しい。

　表記に関する事項は文章表現に関わる問題なので，「書き方の指導」の章で取り上げ，詳しく述べる。

第4節　文字の導入

　文字を教えるかどうかについては，仮名が表音文字であることを知らずに，自国語の文字学習の概念に基づいて日本語の文字学習を難しいと考え，文字の学習までやるのは負担であるとする学習者もいるので，日本語の文字が果たしている機能を説明する必要がある。各語の

スペリングを覚えなければならないのとは異なり，仮名さえ覚えてし
まえば，それらの組み合わせですべての語の読み書きが可能であるこ
と，漢字が日本人の日常生活でいかに幅広く使われているかなどは，
来日前には分からない。仮名の読み方だけでも知っていれば，かなり
の情報を得ることができ，日常生活でも役に立つ。

　カタカナ，平仮名，漢字の三つの文字体系のうち，どれから教えて
いくかが，まず，問題になる。

　日本では，最も広く一般に用いられている漢字仮名交じり文を理解
させるために平仮名から導入するのが普通であるが，カタカナの方が
直線が多く書きやすいし，漢字の基礎にもなるので，カタカナを優先
すべきであると主張する人もいる。欧米では，身の回りの語彙をすぐ
書き表すことが出来るとの理由でカタカナから始めるところもある。

　読めるだけでよいのか，書けなければいけないのかは，学習者の日
本語学習の目的による。日本に短期滞在するのみであれば，読めれば
よいであろうが，将来日本語を使用する仕事につく可能性のある場合
には，始めから書く練習をしながら文字を覚えていく方が能率的であ
る。

　いつ文字を導入するかは，教師によって意見の別れるところである
が，平仮名，カタカナの読みは，発音練習と並行させて行う例が多
い。教科書を使用する前に平仮名の読み書きを一通り教えてしまうと
ころもある。これも学習者の目的，意欲によって異なる。ローマ字を
使用している教科書でも「読み方」，「書き方」として第一課から漢字
仮名交じり文を一部に入れているものもある。

　平仮名を定着させてから，漢字，カタカナを教えるが，その提出方
法は，日本語の一般的用法に従う。即ち，初期の段階から，外来語や
外国の人名，地名の類はカタカナで，えんぴつ，つくえ等のように漢
字で書く方が普通の語彙は漢字で書き，難しすぎると思われるものに
は，振り仮名を振って読み方を示す。

　あいうえお順に教える必要はなく，身の回りの事物や既習の表現の文字化といった形で導入しても構わない。むしろその方が学習者の興味を刺激し，学習意欲を高める場合もある。但し，教師はどの字が既習でどの字はまだかを常に把握しておかねばならない。また，表記の問題が入ってくる。あいうえお順を覚えさせておくと，後に動詞の活用を学習する際に役立つ。

第5節　漢字教育

Ⅰ．漢字学習への興味

　前述したように，市販されている初級日本語教科書中には一般に300から400字の漢字，1000から1500語程度の語彙が含まれている。中級レベルは，基礎的学習終了後，上級の生教材（日本人を対象に書かれた文）を使用し始める段階にあたるが，このレベルでは，漢字は1000から1500字，語彙は3000から5000語程度を習う。上級では，専門分野の参考書や文献を読みこなす能力も要求される。前述したように，国立国語研究所の調べによれば（『現代新聞の漢字』，1976），日本人を対象に書かれたものを読みこなすには，2500字程度の漢字を習得する必要がある。日本語教育での目標は常用漢字の読み書きができることにおかれている。

　漢字の学習は原則として簡単な字体から複雑な字体へと進むが，字体が簡単か複雑かよりも，「必要性」の方が重視される。学習者の日常生活に密着していると思われる漢字，例えば，その教育機関の所在地やその教育機関に特有の事物の表記に使われている漢字は，字体が複雑であっても，早い段階で提示される。応用面を考慮し，造語力の高い漢字も優先的に与えられる。教育漢字や日本で使用されている小学校の学年配当漢字は重視されていない。

　次頁の表は国際基督教大学で日本語を学習している学生50名（既習

漢字に関するアンケートの結果(%)					
	(は　い)		(いいえ)		(どちらでもない)
1．漢字の勉強は好きですか	91	67	9	23	0　10
2．漢字は難しいと思いますか	36	79	64	13	0　8
3．漢字は面白いですか	100	95	0	5	
4．日本で生活するためには漢字の知識は必要だと思いますか	100	69	0	27	0　6

5．漢字学習で一番むずかしいのは何ですか*

読み方	73	41
書き方	27	46
筆順	0	3
意味	3	18
覚え方	0	10
組み合わせ	0	8

6．漢字のどこが一番面白いですか*

構成要素の意味	64	54
字源	36	38
音・訓読み	18	5
美しさ，形，組み合わせetc.	0	23

7．一番役に立っている漢字の勉強法は何ですか*

書取り	27	28
教科書を読む	36	23
漢字に関する本を読む	27	10
繰り返し書く	18	54
看板を読む	0	8

(注)　1．*の問には複数の印をつけた者が多かった。

　　　2．左　漢字系，右　非漢字系

（海保博之編『漢字を科学する』，有斐閣，1984，p. 172より）

漢字約600字）を対象に行ったアンケート結果の一部である。この結果にも見られるように，漢字の難しさを認めながらも，大部分の学習者は漢字に興味を持ち，時には，マニアとさえ言えるような者もいる。

2．非漢字系学習者の問題

（1）筆順

　筆順はさして重要ではないからとか，手がまわらないとかの理由で筆順の指導はややもすると疎かにされがちである。殊に海外では，クラスでは，教師がいなくてはできない種類の学習が優先されるため，文字学習は家庭での自主学習にまかされる傾向が見られる。

　中級クラスにいながら目茶苦茶な順序で平仮名や漢字を書く学習者をよく見掛けるが，その多くは筆順に関する指導を受けておらず，筆順の大切さを意識していない。平仮名の場合は，縦に続けて書いて見せ，正しい筆順で書けば，速く続けて書けることを実感させるとよい。筆順の意義を理解させるための教師側の努力は十分なされているとは言い難い。宿題にしておいて，提出された漢字の間違いを訂正するのみでは不十分である。

　筆順には，一定不変の法則はないが，各字毎にほぼ定まった書き順が古来から定着しており，形の整った書き方を順序だって覚えるのみならず，速く書ける，将来辞書をひくのに必要な画数の数え方を知る，崩して書かれた字の判読に役立つ等の利点もあるので，原則をしっかりと習得するまで，即ち，少なくとも初級の前半を終える頃まではきちんと指導しなければならない。ワープロが普及し，漢字を書く機会が減っていても，将来日本語を使って仕事をする場合には，漢字がどう構成されているかを知っているほうが有利であろう。

　学習者にとっては文字というより図形である。点を下から上にはねたり，横線を右から左へ引いたり，口を右上端から一筆で書いたりす

るので，字体にも影響が出る。単なる手の動きとして習得させるだけ
でなく，字源や構成要素の意味を示すことも筆順を覚えるのに役立
つ。しかし，左利きの学習者にとって，右手で書くことを前提とした
現行の筆順はむしろ書きづらい。このような場合には，原則を一応示
し，形に響くような極端に逸脱した書き方は避けるように指導する。

　日本語教育における漢字の筆順指導は文部省の『筆順指導の手引
き』（1958）に示されている原則に従って行われている。自分が習っ
た筆順と現在の筆順とは必ずしも一致しないこともあるし，間違った
筆順で書き慣れていることも案外多いので，文字を指導する時には，
筆順を調べ直すことを勧める。

[筆順の原則]
　大原則1　　上の部分から下の部分へ書いていく。
　　　　　例：一　二　三，宀　宀　客
　大原則2　　左の部分から右の部分へ書いていく。
　　　　　例：丿　川　川，月　刖　脈　脈，亻　伊　例
　原則1　　　横画と縦画とが交差する場合は，ほとんどの場合，横
　　　　　　　画を先に書く。
　　　　　例：　十：一　十，七：一　七，告：丿　牛　生　告
　　　　　　　共：一　十　艹　共　共
　　　　　　　耕：一　二　三　耒　耒　耒　耕
　　　　　　　無：ノ　年　年　無　無　無
　原則2　　　横画と縦画とが交差したときは，次の場合にかぎって
　　　　　　　横画をあとに書く。
　　　　a．　田（冂　冊　冊　田）男，異，町，細
　　　　b．　田の発展したもの。
　　　　　イ．　由（冂　巾　由　由）油，黄，横，画
　　　　　ロ．　曲（冂　曲　曲　曲）豊，農

　　ハ．　角（勹　角　角　角）解

ｃ．　王（一　丁　干　王）玉，主，美，差，義

ｄ．　王の発展したもの。

　　イ．王（一　丁　干　王）進，雑，集，確，観，馬，駅

　　ロ．主（一　十　キ　主）生，麦，表，清，星

　　ハ．井（一　廾　井　井）寒，講

原則3　　中と左右があって左右が1，2画である場合は中を先
　　　　に書く。

　　例：　小（亅　小　小），当（亅　⺌　当），水（亅　才　水）
　　　　　氷（亅　氺　氷）緑，氺（亻　彳　氺）衆，業（〝　〟　業）
　　　　　赤（亣　亦　赤），楽（白　泊　楽），承（手　承　承）

　　例外：忄（丶　忄　忄），火（丶　⺍　火）

原則4　　外側を先に書く。

　　例：　国：｜　冂　国　国，同：｜　冂　同，司：冂　司
　　　　　区，医は注意（一　矢　医）

原則5　　左払いと右払いとが交差する場合は左払いを先に書
　　　　く。接した場合も同じ。

　　例：　文（亠　ナ　文），父，故，支，収，処，人，入，欠，
　　　　　金

原則6　　字の全体を貫く縦画は最後に書く。

　　例：　中（口　中）
　　　　　書（彐　聿　書），妻
　　　　　平（一　ㄗ　平），評，羊，洋，達，拝
　　　　　手（三　手），争

　　　　　上にも下にもつきぬけない縦画は上部，縦画，下部の
　　　　順に書く。

　　例：　里（日　甲　里），野，黒
　　　　　重（亖　車　重），動

謹（謓 謌 謹），勤

原則7　字の全体を貫く横画は最後に書く。（母, 毎, 舟, 与etc.）

　　例：　女（〈 女 女），安，努

　　　　　子（了 子），字，存

　　　　　世（一 丗 世）は原則1に従う。

原則8　短い方を先に書く。

　　　　　横画が長く左払いが短い字は左払いを先に書く。

　　　　　例：右（ノ ナ 右），有，布，希

　　　　　横画が短く左払いが長い字では，横画を先に書く。

　　　　　例：左（一 ナ 左），友，在，存，抜

その他

　1．原則では説明が出来ないもの。

　　イ．先に書く「にょう」と後に書く「にょう」がある。

　　　　　先に書くもの：夂，走，免，是

　　　　　後に 〃 　：辶，廴，乚

　　ロ．先に書く左払いと後に書く左払いがある。

　　　　　先に書くもの：九，及

　　　　　後に 〃 　：力，刀，万，方，別

　2．筆順が二つ以上あるもの

　　　　　上：一 十 上。 ｜ 卜 上

　　　　　耳：三 耳。 丁丁 耳

　　　　　必：ソ 必 必 必。 ノ 必 必 必 必。心 必

　　　　　発：タ ㇇ 発。 ㇒ ㇇ 発。 ㇒ 发 発

　　　　　感：咸 感。忈 感

　　　　　興：ｆ 閂 興。 冂 閂 興

　この手引きはあくまでも一応の基準を示すものであり，ここに取り上げたもののみが正しく，他は誤りとするものではない。

　筆順が字体に影響を与えるものは特に注意を要する。例えば「必」は，一番始めの筆順で書くと活字体に近い形になるが，一般には最後の筆順で書く人も多く，これだと字体が最初のものとはやや異なってくる。後者で書かれたものも「必」と判読できるよう両方の筆順を示しておかなければならない。また，筆順が誤りを防ぐ場合もある。例えば，「何」をイ，一，丿，口の順で書けば「何」となりやすく「向」と混同されるような字体となる。「才」の横画を右から書くと「犭」と類似の字体になる。日本人でも大多数の人は，日常意識せずに誤字を書いている。自分では分かっていると思っていても，漢字クラスの前には，辞書や漢字の参考書に目を通しておくことを勧めたい。意外な発見があるに違いない。知っていることと，教えることとは別である。

（2）字形

　一般に非漢字系の学習者は，字形にあまり注意を払わない。線の長短，つけるか離すか，交わるか否かがなぜそれほど重要なのか分からない。アルファベット等の字形が単純で，少しぐらい形が崩れても字そのものは変わらない点に原因があるのかもしれない。一見些細に見えても，前述したような点を正しく書き分けないと，異なる字になり，意味の差が生じることをよく説明しておかなければならない。

　日本人が字の正しさのみでなく，字形の美しさに高い価値をおくことは，大部分の学習者にとって「異文化体験」である。しかし，きれいに板書された字に感嘆の声をもらす学習者も多い点をみると，文字を美しく書くことに対する憧れのようなものは抱いているらしい。前掲のアンケート結果からも漢字の美しさに対する興味が窺える。

　学習の初期には，十字の中心線のある大きなますめのノートを使わせるとよい。「を」を「乇」に，「多」が「タタ」に，「糸」が「朱」になったりするのが防げるからである。　活字体の教科書を使用した学習者は，手書き文を読むのにとまどう。また，その反対の傾向もあ

る。活字には大別して教科書体（小学校の教科書に採用されている活字）と明朝体とがあるが，教科書体と明朝体の両方の活字を使用している日本語教科書もある。このように書体の差については，細かい配慮が払われている。活字体と一般の手書きの字との間に差がある場合（例：「辶」，「辶」）はもちろん，筆の勢いや個人的な癖で形がやや崩れる場合（例：「寮」，「敏」，ｷ一ｷ，ｷ）は別字とみなして読めなくなるので，許容される形や極く普通に見られる形も示しておかねばならない。しかし，書く場合には教科書体を書かせる。習字の心得がないせいだろうか，いわゆる筆の勢いによる些細な差も外国人学習者が書くと，我々には同じ字とは認めがたいほど標準的な形とは差が出てしまう。漢字テストの採点中，正解とみなすか否かで迷うことが往々にしてある。

　以上のような理由から，非漢字系学習者に対する漢字教育では，現在の小学校における漢字教育とは異なり，個々の字を全体として認識出来るような指導が必要になってくる。

（3）同音語

　既習の漢字数が増えるに従って同音異義語，異字同訓語の使い分けの問題が出てくる。初級後半以後の漢字教育では，同音語の整理，使い分けの指導が重要な位置を占める。漢字の書き方テストの誤答を分析してみると，同音異義語の混同が最も多い。

（4）音訓

　漢字の読み方が幾通りもあるので，新しい読み方は出てくる度に教えなければならない。教科書によっては，そのつど既習の読み方と共に示してある。できれば，この種の整理をしたプリントなどを用意すれば，学習者は喜ぶであろう。雨（あめ），傘（かさ），雨傘（あまがさ）といった日本人にとってはなんでもない差でも外国人学習者にとっては全く新しい知識である。特に連濁は難しい。熟字訓も中級以後では読めなければならない。漢字の読み方テストの非漢字系学習者

の誤答には，音訓の混同が最も多く見られる。

（5）熟語

　漢字の組み合わせは漢字学習の難しさの要因としてあげられる。同じ漢字の組み合わせでも，順序が逆になると意味が全く異なる（例：中年，年中：長所，所長）。順序を正しく記憶しなければいけないことも難しさの一つである。また，読み方によって意味が異なる熟語もある（例：今日－キョウ，コンニチ　一月－イチガツ，ヒトツキ）。このような熟語をどう読むかによって文脈の理解度も判断できる。

（6）字源

　字源に興味を持つ学習者は非常に多い。面白いのみならず，漢字を記憶するための手掛かりとなるからである。構成要素となる部分の意味を説明しておくことも漢字を覚える手掛かりとして役立つ。

3．漢字系学習者の問題

　漢字系特に中国人学習者は母語の知識を利用できる割合が非常に高い。中国語3,805語のうち，46％は日本語と共通ないしは類推可能であると報告されている（新島淳良，1963，「中国語基本語彙と語彙教育」，『紀要』2，早稲田大学語学教育研究所，pp.62-84）。漢字の書き方テストで熟語を構成する各漢字間の正答の相関をとってみたところ，非漢字系学習者の結果にはなんの相関も見られなかったのに対し，漢字系学習者には高い相関が認められた（石田敏子他，1985，『外国人学習者の日本語学力構造の解明』，昭和57,58,59年度文部省科学研究費研究成果報告，p.6）。このように漢字系学習者は語レベルで意味を把握したうえで漢字を記憶していることが実証的にも窺える。

　しかし，漢字クラスのトップは漢字系学習者とは限らない。漢字の読み方や意味の理解に母語の干渉が強く現れるからである。日本語の漢字と意味が似てはいるがややずれがあるもの，音が同じだが日本語では使い方が異なるものに起因する誤りが多い。また，特に努力しな

くても意味はだいたい摑めるので，いつまでたっても正確さを欠く学習者がしばしば見受けられる。特に音声の面でこの傾向が著しい。したがって，漢字系の場合には，日本文を平仮名で書き取らせてから必要な部分を漢字に書き直させるといった練習も必要となる。意味が取れていれば良いものの，正しい聞き取りができていなければ，正しい発音は出来ない。

　中国語でも韓国語/朝鮮語でも漢字は原則として一字一音である。日本語の漢字には複数の音読みがある上に訓読みも覚えなければならない。この読みには，母語の漢字の音の他に，母語の一般的な音声上の問題が関与してくるという二重の干渉がある。

　簡体字（中国語の簡略化された漢字）と日本語の簡略化された新字体との間に微妙な差のある字があり，これは書き方の面で影響を与える。台湾，韓国，香港で使用されている繁体字（旧字体の漢字）は，日本でも使用する人がいるとの理由で，試験等に書いても，普通訂正はするが減点はしない。しかし，旧字体を知らない若い教師であれは，誤りとして処理されてしまう。

　韓国人学習者は普通漢字系として扱われているが，韓国では，1800字の教育用漢字が制定されてはいるものの日常生活での漢字の使用は

漢字圏で使用されている3種の字体

台湾・韓国	日　　本	中国・シンガポール
對　單	対　単	対　単
畫　帶	画　帯	画　帯
寫　廳	写　庁	写　庁
團　勞	団　労	団　労
殘	残	残
壽	寿	寿
邊	辺	边
變	変	变

極度に減っており，ソウル辺りでも漢字は通じなくなりつつある。その結果，漢字の書けない学習者が増えている。また，ある程度のレベルまで独学で達することができるせいもあって，漢字の知識には正確さを欠く学習者が非常に多く見られる。特に些細な字形上の誤りが目立つ。

参考文献

（1）石田敏子（1984）「国際化のなかで漢字とは──漢字の社会学」，海保博之編『漢字を科学する』，有斐閣，pp.155-223.

（2）金田一春彦（1981）『日本語の特質』，日本放送出版協会.

（3）国立国語研究所（1976）『現代新聞の漢字』，秀英出版.

（4）──────編（1988）『文字・表記の教育』（日本語教育指導参考書14），大蔵省印刷局.

（5）──────編（1990）『外来語の形成とその教育』（日本語教育指導参考書16），大蔵省印刷局.

（6）鈴木順子，石田敏子（1988）『表記法』，荒竹出版.

（7）鈴木孝夫（1978）『言葉の人間学』，新潮社.

（8）武部良明（1981）『日本語表記法の課題』，三省堂.

（9）───（1982）『漢字の用法』，角川書店.

（10）───（1989）『漢字の教え方』，アルク.

（11）武部良明，加藤彰彦編（1989）『講座日本語と日本語教育』第8，9巻，「日本語の文字　上・下」，明治書院.

（12）諸橋轍次（1955）『大漢和辞典』，大修館書店.

（13）文部省（1958）『筆順の手引き』.

第9章 日本語の語彙とその指導

第1節 日本語の語彙の特徴

　日本語の語彙の構成成分と各成分が全体に占める割合は和語（34.5%），漢語（49.8%），和漢語（5.6%），外来語（8.9%），その他1.2%）となっている（桜井茂治，1987，p.66）。各種の語彙調査の上位20語には圧倒的に和語が多く含まれているにもかかわらず，語彙全体に占める率は漢語より少ない。

　それぞれ次のような特徴が見られる。

〔和語〕

1．1，2拍の語が多い。

2．アメ→アマガサ，キ→コダチ，サケ→サカモリというような転音や連濁が見られる。

3．語頭に濁音やラ行音を持つ語はない。

4．音を象徴的に捉えた語（例：うっすら，ほんのり，だらーり），特に擬態語が多い。

5．全品詞に分布しているが，特に動詞はほとんどが和語である。

6．具体的な事物や現象を表す語は多いが抽象的な語は少ない。

7．雨，動植物，虫などを表す語が多い。

8．日常語的である。

9．事物や事態を適確に表現する力は弱い。そのため意味のやや

異なる漢字でも同じ訓で読むことがある（同訓異字）。例：み
る→見る，診る，観る，看る，視る，相る，察る，覧る，瞥る

〔漢語〕（字音語）

1．1または2字以上の漢字の組み合わせで音読みする語のこと
で，森，青空，雨傘の類は漢語ではない。

2．音読みにも呉，漢，唐音があるため，いろいろな読み方があ
る。例：学期，最期

3．語頭に濁音は多くくるが半濁音はこない。

4．拗音，長音が多い。

5．造語力が強く，日本語の語彙数が多いことの一因になってい
る。種々の漢語をいろいろ組合わせて長い語を作ることができ
る（例：対共産圏輸出統制委員会規制違反事件）。一方，長す
ぎる語は短縮できる（例：臨時調査委員会→臨調）。

6．名詞，特に人間活動に関するものや抽象名詞が多い。

7．文章語的である。

8．対象によって細かく使い分ける。例：入苑，入館，入国，入
学，入室，入団

9．同音語，類義語が多い。

10．明治以後に急速に増加した。

〔外来語〕

1．片仮名で表記される。

2．具体名詞に比較的多く見られる。

3．和語や漢語では表せない新鮮さやしゃれた感じを求めて使わ
れる。

4．和製外来語もある。

5．語頭の濁音が多い。

〔混種語〕（和漢語）

1．和語，漢語，外来語のうち2種以上がくみあわさってできて

　　　　いる（例：コンピューター処理，持ち帰り弁当）。

　　２．語形が長い。

　　３．漢語，外来語に和語の動詞成分，形容詞成分，名詞成分がつ
　　　　いて作られる語が多い（例：組織替え，コレラ菌さわぎ）。

第2節　語の単位と構成

1. 語の単位

　英語のように分かち書きされる言語は語の単位がはっきりしている
が，日本語では分かち書きがされないこと，短い語を連ねた長い語が
使用されること，接尾辞，助詞，助動詞のついた構文単位が使われる
ことなどで，日本語の語の単位は明確ではない。

　この単位が明確ではない点は，日本語学習では，学習者が日本語の
辞書をひくときや，教師がテスト（たとえばクローズテスト。「評価
法」の章参照）を作成するとき，日本語の分析をするときなどに問題
となってくる。

2. 熟語

（1）熟語の読み方

　熟語の中で最も多いのは漢字二字を組み合わせたものであるが，そ
の読み方は次のように分類される。

　　　a．音読み——上下共に音読み（漢語）　水準，国家，試験，漢字，
　　　　　　　　　　　　　　　　　　　　　熟語，基礎，語彙，挿入，
　　　　　　　　　　　　　　　　　　　　　書店，教育，研究，指導

　　　b．訓読み——上下共に訓読み（和語）　左手，右手，花見，大空，
　　　　　　　　　　　　　　　　　　　　　島国，夕日，葉書，手紙，
　　　　　　　　　　　　　　　　　　　　　切手，砂浜，雨水，川岸

　　c．重箱読み──上が音，下が訓　　　本箱，家主，毎朝，仕業，

　　　　　　　　　　　　　　　　　　　　自前，新型，早苗，派手，

　　　　　　　　　　　　　　　　　　　　天窓，無傷，台所，本棚

　　d．湯桶読み──上が訓，下が音　　　手製，雨具，夕刊，畑作，

　　　　　　　　　　　　　　　　　　　　白地，相性，消印，涙金，

　　　　　　　　　　　　　　　　　　　　湯気，豆炭，片方，古本

（2）　熟語の構成

　漢語の基本的な構成法は五つに分類される（『角川漢和中辞典』，
1959，角川書店，p.1291）。

　　a．主述の関係（AがBする，AがBだ）　　地震，日没，民主，敵襲，
　　　　　　　　　　　　　　　　　　　　　　年長

　　b．修飾の関係（AがBを修飾）　　　　　　打者，野球，生花，速報，
　　　　　　　　　　　　　　　　　　　　　　式服

　　c．並列の関係（AとBが並んでいる）　　　生死，父母，往来，弓矢，
　　　　　　　　　　　　　　　　　　　　　　広大

　　d．補足の関係（BがAを補う）　　　　　　被害，成功，有名，就職，
　　　　　　　　　　　　　　　　　　　　　　帰国

　　e．認定の関係（Aで認定したり，否定　　未然，可憐，不良，非常，
　　　　したりし，Bでその内容を明らかにし　否定
　　　　たりする）

　このような意味の上での関係を知っていれば，未習の語でも，見当
をつけることができる。そのためには，漢字学習の際に，その漢字の
基本的な意味を教えておくことが重要である。特に帰国生の教育で
は，このような応用力を養う必要がある。

第3節　日本語教育基本語彙について

1.「理解語彙」と「使用語彙」

　個人が理解できる語彙を「理解語彙」，実際に使う語彙を「使用語彙」と呼ぶ。諸資料から日本人の成人の「理解語彙」は40,000語程度と推定されている。日本語学習の初級レベルでは，「使用語彙」の習得が主な目標となるが，中級レベルに入ると理解できればよい語彙の量が増えてくる。日本語学習目的によって異なるが，教科書に提示されている語彙を理解できればよい語彙と使えなければいけない語彙とに教師が区別し，記憶すべき語彙を指摘しておけば，学習者の負担を少なくすることができる。

2.「基礎語彙」と「基本語彙」

　「基礎語彙」という言葉は一般に主観的判断で選定された一定数の語彙を指すときに用いられている。代表的なものにBasic Englishがある。これは，イギリスのOgdenが1930年に発表した一種の国際補助語で，850語を用いて日常の事柄を表現できるように人工的に考案された言語体系である。『英語学辞典』（研究社）では「基本英語」と訳している。これにヒントを得て1933年に土居光知が『基礎日本語』1000語を発表している。これに対して「基本語彙」は特定の目的のために選定される語彙集団で，客観的な語彙調査によるものを指す。

3.日本語教育のための語彙の選定

　前述したように（「日本語教育の目標」参照），日本語教育には，指導要領のようなものはなく，各レベル毎に次のような語彙の学習目標が大まかに示されている。

　　　初級　　約1500〜2000語
　　　中級　　約5000〜7000語

　　上級　　　7000語以上

　文化庁の『外国人のための基本語用例辞典』（1971）には約4000語が収められているが，これは専門家の主観的選定によるものである。

　「実用」としての日本語を教えることから，語彙も学習者の日本語学習目標にそった必要度の高いものが重視され，語彙の使用頻度が選定の目安となる。この点から，日本語教育用教材を作成するためには，国立国語研究所の『現代雑誌九十種の用語用字』（1963）と『現代新聞の漢字』（1976）が資料として一般に使われていた。その後，同研究所では，日本語教育，国語学，言語学の専門家20人に1964年出版の『分類語彙表』内の約33,000語について日本語教育基本語彙2,000語及び6,000語の判定を依頼し，その結果を『日本語教育のための基本語彙調査』（1984）として報告している。中間報告として「日本語教育基本語彙第一次集計資料――上位二千語」（1978），「日本語教育基本語彙第一次集計資料――六千語」（1978）がまとめられており，現在ではこれらの資料が日本語教育で教えられるべき語彙の選択の参考となる。

　初級レベルでは，日常生活における使用頻度の高い語彙が教えられるが，最近では，分野別教科書も編集されるようになり，初級の段階から，専門分野の用語を教える努力がなされつつある。

　特に語彙のみを取り出して教えることはなく，文単位で教えられるため，語彙教育といったものは行われていない。

4．中学校・高校教科書の語彙

　国立国語研究所は高校・中学校教科書の語彙調査を行い，1983年から89年にかけて一連の報告書を出している。この調査は，現在では高校への進学率が9割を超え，高校教育が国民大多数の基本的な教養の場になっており，国民が一般教養として各分野の知識を学ぶ際に必要とすると思われる語彙の実態を明らかにするために行われた。また，

大学教育が高校教育を基盤として進められることから，日本の大学で学ぶ留学生のための日本語教育では特に重要な意味を持つとされている。

　高校と中学の理科と社会の教科書の語彙を調査した結果で，使用頻度や新聞の語彙との比較結果などが報告されている。日本語教育で必要と思われる分野別語彙の概観を知る上で役に立つ。また，他分野の語彙と比較する際の一つの基準となる（国立国語研究所，1983，84，89）。報告書の他に，語彙表をそのまま収めたフロッピーも市販されている。

第4節　語彙学習上の問題点

1．同音異義語・類義語

　初級後半程度のレベルになると，語彙数も増え，同音意義語や同音の類義語の聞き分けや使い分け，漢字の使い分けが問題になってくる。自分の知っている同じ音の語を何にでもあてはめてしまう傾向が見られる。漢字クラスや聴解クラスでのクイズには必ず同音語の項目を入れて，漢字と音の両方から記憶させるようにする。類義語はその語を使って文を作らせて意味の差を明確に理解させておく。既習の類義語や同音語を使った文例集を作って配布するなど，既習の語彙をまとめて整理して示すのも役に立つ。

2．擬音語・擬態語

　擬音語や擬態語を持たない言語もあり，これは難しい項目の一つである。中国語や韓国語にはあるが，日本語の擬音語・擬態語とはかなり異なるそうである。擬態語には日本人の事物に対する感覚が反映されているので，説明も難しい（例：雪がしんしんと降る）。

　また，一つの語が使われる対象もかなり細かく規定されており，そ

れを覚えなければならない点も煩わしさの一因となっている。

3．助数詞

　日本で暮らしている場合には，助数詞は，日常生活ですぐに必要となる項目である。音の変化するもの（本，匹，杯，人，羽，軒etc.）と変化しないもの（枚，台，冊，頭，着etc.）がある。この他に，和語系列を使うもの（箱，皿，山，切れ，枝etc.）は名詞として扱われているが，普通，助数詞と同じ時に教えられる。

　どのグループから教えるかは，教科書によって異なるが，音の変化するもので日常よく使われる本，匹，杯などは，変化の法則（1，3，6，8，10，1000，10000などの後の変化）をまず練習しておく。数える事物との対応が大事なので，数字のカードと物を描いたカードを組合わせて練習するなど，視覚教材を活用するとよい。

　洋服は「着」でも着物やＴシャツ類は「枚」を使うこと，テレビも車も「台」を使うこと，傘は「本」，ウサギは「羽」になること，コーヒー茶椀等の容器は「個」だが中に入っている液体の量については「杯」で数えることなどが理解しにくい点である。魚については「尾」，「匹」が使われている。

　物との対応が一応習得できた段階で，文中での使い方を練習しておかないと「鉛筆3本を下さい」といった誤りをするようになる。

4．複合語

　複合助詞（例：に・あたって，から・には），複合形容詞（例：腹・黒い，ほろ・苦い）や複合動詞（例：引き・だす，走り・まわる）などのように二つの語が結合して一つの語として働くとき，元の語の機能や意味とは異なる働きをすることがある。学習者にとっては難しい項目の一つであるが，これらの語について説明している教科書は少ない。

5．人称代名詞

　人称代名詞の使い方には種々の制限がある。「わたし」，「わたくし」，「ぼく」は話し言葉では使われるが，書き言葉での使い方は必ずしも自由ではない。論文の場合には「筆者」が最も一般的に使われているが，主語を避ける書き方もされる。男性であれば，手紙では，「小生」が普通である。このような使い分けは文章表現のクラスでの学習事項となる。自分を指す場合に，相手が自分を呼ぶ語を使うこともある。例えば父親が子供に宛た手紙で，自分のことを「お父さんは」とするのはごく普通のことである。

　「あなた」は目上には使えない。目上に対しては，普通，名前か職名を使う。「あなた」を避けて「おたく」が使われることもある。自分と同等の異性に対して多く使われるようである。文学作品，特に戯曲などに見られる特別な思いを込めた男女間での「あなた」もある。「あんた」，「きみ」，「おまえ」，「きさま」などの使い方には場面，相手との社会的関係なども影響する。「彼」，「彼女」は小説以外にはあまり使われない。「あの人」，「あの方」の方が自然である。

　このように人称代名詞は訳を与えるだけでは不十分で，使い方についてのきめの細かい指導が必要である。

6．接頭辞・接尾辞

　接頭辞には「無」，「非」，「未」，「不」などのように否定の意味を表すもの，「お」，「おん」，「御」のように丁寧さを表すものなどがあり，接尾辞には「さ」，「み」などのように特定のイ・ナ形容詞について名詞を作るもの（寒さ，悲しさ，甘味，悲しみ），「がち」，「ぎみ」（遠慮がち，くもりがち，風邪ぎみ，くもりぎみ）のように特定の名詞・動詞について傾向を表すものなど，種々の接続方法と用法があり，複雑で覚えにくい。

7．親族名称

　日本語の家族関係を表す言葉は比較的簡単ではあるが，使い方には特定の法則がある。親族の分け方も日本語とは異なる言語もある。鈴木孝夫（1973）によれば，親族間の自称（話し手が自分自身に言及する言葉の総称）と対称（話の相手に言及する言葉の総称）の用法には次のような原則がある（p.151-3）。

（1）話し手（自己）は目下目上の分割線の上に位する親族に人称代名詞を使って呼び掛けたり，直接に言及したりすることはできない。これと反対に分割線より下の親族には，すべて人称代名詞で呼び掛けたり，言及したりできる。

（2）話し手は，分割線より上の人を普通は親族名称で呼ぶ。しかし

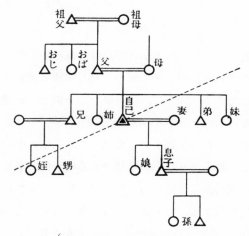

自己の
（Ego）
　　　分割線より上の成員に対する
　　　　　対称詞は親族名称しか使えない
　　　　　自称詞は親族名称が使えない
　　　分割線より下の成員に対する
　　　　　対称詞は親族名称が使えない
　　　　　自称詞は親族名称が使える

（鈴木孝夫『ことばと文化』（岩波新書）より）

　分割線より下の者に，親族名称で呼び掛けることはできない。

（3）話し手は，分割線より上の者を名前だけで直接呼ぶことはできない。これに対し，分割線の下に位する者は，名前だけで呼ぶことができる。

（4）話し手が，分割線より上の者に対して自分を名前で称することは可能であるが，分割線より下の者に対しては通例これを行わない。

（5）話し手は分割線の下に位する者を相手とするときは，自分を相手の立場から見た親族名称で言うことができるが，分割線より上の者に対してはそれができない。

　また，自分の夫を「パパ」と呼ぶ表現については，家族内では，親族名称は次のような法則にしたがって，他者中心的に用いられるとしている（p.171）。

（1）日本の家族内で，目上の者が目下の者に直接話し掛ける時は，家族の最年少者の立場からその相手を見た親族名称を使って呼びかけることができる。例えば，親が年上の子供を「お兄ちゃん」とか「お姉ちゃん」とか呼ぶのはこの法則による。

（2）目上の者が目下の者を相手として話す時，話しの中で目上が言及する人物が，相手より目上の親族である場合に，話し手はこの人物を自分の立場から直接とらえないで，相手つまり目下の立場から言語的に把握する。例えば，自分の孫に自分の息子について話すときには，「お父さん」とか「パパ」とかを使う。

8．専門用語・学術語

　専門用語や学術語のなかには，一般に使用される語彙とは全く異なり，一般語の知識だけでは，意味のとりかねるものも見られる。例えば「はつ音（ン）」にしても，英語では"syllabic N"と呼ばれ一般の

人でも分かりやすいのに対し，日本語では説明されなけれれば普通の
人間にとっては何のことか分からない。また，"controled experi-
ment"は「統制実験」，「対照実験」と分野によって訳しかたが異な
る。このように専門用語は学習者にとっては二重の負担になっている
わけで，その語が一般に通用する語であるかどうかを教えておかなけ
ればならない。

第5節　語彙指導上の留意点

1．（＋）のニュアンス・（－）のニュアンス

　「そうぞうしい」と言ったときには，音がやかましくて困るという
意味が込められており，「にぎやか」と言うときには，やかましいけ
れども，陽気で結構といった好意的態度が感じられる。このように言
葉によっては，（＋）のニュアンスまたは（－）のニュアンスを内包
するものがある。これは，辞書を見ただけでは分からない点なので，
その度に説明しておかないと，文脈の真の意味がつかめないことがあ
る。また，文章を書くときにもこの差を知っていないと，思っている
こととは逆の意味を伝えてしまう恐れがある。語彙の使用上大事な点
であるにもかかわらず意外に軽視されている。

2．否定・肯定等対応する形の有無

　「大人げない」，「思いがけない」などは常に否定形で使い，肯定形
は使わない。一方，「気がひける」は常に肯定形を使う。「ある」の否
定形は「ない」で，「あらない」とは言わない。「です」の「である」
形は「だ」だが，「美しいです」とは言っても，「美しいだ」は間違い
になる。対応する形のない場合には，その旨を指摘しておかないと，
類推して間違える。

3. 文体レベルと語彙の関連

どういう文体の中で使用される語であるかの知識がないと，文章を書く際に問題が起こってくる。異なるレベルの文体の混用は文章表現指導上の大きな問題の一つである。少なくとも，その語が話し言葉か書き言葉か，改まった会話で使ってもよいのかくだけた会話で使われるのか，論文中ではどうかなどを教えておくことが必要である。

4. 他要素との関連

語によっては，主語や目的語が制限される。「いる」と「ある」はその代表的な例である。「──がる」，「──そう」は普通主語に第一人称はとらず，「私はうれしがる」，「私はうれしそう」とは言わない。「私が行きたがったので，仕方なく連れていってくれた」，「私が行きたそうな素振りをしたので，──」というように，限られた従属節でのみ使うことができる。

この方面の研究は最近さかんになってきているが，まだ，十分とは言えない。

5. 意味領域の差

類似の語彙の意味や用法の差は非常に難しい。日本語の類義語間や学習者の母語の語彙とその日本語訳間，中国語と日本語の漢語間の意味のずれは，しばしば誤用や誤解の原因となる。特に中国語と日本語の間では，類似の語彙のみならず，同じ語彙が全く異なる意味・用法を持つため，学習者も教師も理解したと思ってしまう落とし穴がある。

6. 既習語彙と未習語彙の把握

学習者は既習語彙しか知らないことを前提としてクラスをすすめなければならない。文型練習，テストづくり，教材づくりもこの原則に従う。これは易しいようだが，実際にはなかなか難しい。特に複数の

異なるコースを教えていると混乱を生ずる。語彙索引（漢字，文法事項索引）のない教科書を使っている場合には，教科書の各課の新出語彙（漢字，文法項目）をカードに書き出しておくと便利である。

第6節　辞書をめぐる問題

　初級レベルの教科書には普通語彙表が用意されている。これは日本語と母語とのよい対訳辞書があるとは限らないこと，辞書をひく手間を省きその分学習の方にエネルギーを使わせたいこと等の理由による。学習者が日本語の辞書を自分でひき始めるのは，中級レベルに入ってからである。このレベルは，自分で学習する方法を身につける段階なので辞書のひき方の指導をまず行わなければならない。

　国語辞典，漢和辞典のひき方を教えるわけであるが，どんな辞典を持たせるか，勧めるかを決めなければならない。将来日本語を使う分野を専攻する学習者には，収録語彙や漢字数の多い辞書を持たせる方が望ましいが，説明が難しすぎるという難点がある。そうかといって小学生向きのものは，中級程度のレベルでは語彙数，漢字数が十分ではない。また，与えられている説明も日本語を使うという立場からは必ずしも満足できない。辞書の選定は日本語教師にとって頭の痛い問題である。『日本語教育』17号（1972）では日本語教育における辞書の問題が取り上げられ，杉本つとむは『国語辞書を読む』（1982）で日本人のための辞書の問題を論じているが，事態はさほど好転していない。動詞と名詞句の関連から意味を記述した動詞の辞典が情報処理の分野で刊行され，コンピューターと同様に日本語に対しては白紙の状態にある外国人学習者にも理解されやすいのではないかと期待されている（情報処理振興事業協会技術センター『計算機用日本語基礎動詞辞典』，1987）。コンピューターの端末を使って辞書がひけるようになれば，上級の専門コースのための自習教材の作成も可能になる。日本語学習者のための辞典としては，文化庁編『外国人のための漢字辞

典』の他に，4,000語を収録した同庁編『外国人のための基本語用例辞典』（いずれも大蔵省出版局発行），3,000語を収めた国際交流基金編『基礎日本語学習辞典（英，韓，タイ，ポルトガル語版）」（凡人社）がある。最後のものは，見出しがローマ字表記になっている。

　中国語圏の学習者はアクセントの表記があるという理由から金田一京助他編『新明解国語辞典』（三省堂）を使う者が多い。英語圏の学習者の間では研究社の『新和英大辞典』，『新英和大辞典』が広く使われている。これらの辞典の漢字表記は慣用にしたがっており，必ずしも日本語教育での表記とは一致しないので，注意しておく必要がある。漢字のためには，A. Nelson編『最新漢英辞典』がチャールズ・イ・タトル社から出ているが，これは漢字5,000語を収録した専門家向きの辞典である。将来日本語を専門にするつもりのない中級レベルの学習者には藤堂明保編『例解学習漢字辞典』（小学館）程度でよいであろう。コンピューター用辞典としては『Mac. J. Dic.』（オーストラリア，モナシュ大理学部）がある。

参考文献
（1）国際交流基金（1981）『語彙』，教師用日本語教育ハンドブック5.
（2）国立国語研究所〈報告78〉（1984）『日本語教育のための基本語彙調査』，秀英出版.
（3）───────〈報告76，81〉（1983，84）『高校教科書の語彙調査（Ⅰ），（Ⅱ）』，秀英出版.
（4）───────〈報告99〉（1989）『高校・中学校教科書の語彙調査分析編』，秀英出版.
（5）───────編（1990）『外来語の形成とその教育』（日本語教育指導参考書16），大蔵省印刷局.
（6）───────編（1991）『副詞の意味と用法』（日本語教育指導参考書19），大蔵省印刷局.
（7）桜井茂治（1987）『日本語概論』，国立音楽大学出版.
（8）杉本つとむ監修（1982）『国語辞典を読む』，開拓社言語文化叢書，開拓社.

（9）鈴木孝夫（1973）『ことばと文化』，岩波新書，岩波書店.

（10）玉村文郎編（1989, 90）『講座日本語と日本語教育』第 6，7 巻，「日本語の語彙・意味　上・下」，明治書院.

（11）日向茂男，日比谷潤子（1989）『擬音語・擬態語』，荒竹出版.

（12）三浦昭，マクグロイン花岡直美（1988）『語彙』，荒竹出版.

（13）盛岡健二（1987）『語彙の形成』，明治書院.

（14）森田良行（1989）『基礎日本語辞典』，角川書店.

（15）─────他編（1989）『ケーススタディ日本語の語彙』，桜楓社.

（16）「特集：外来語と日本語教育」，『日本語教育』74号（1991）.

第10章　文法の指導

　外国語教育に関する最近の研究結果からは，言語の文法事項の習得には学習者の母語に関係なく一定の順序があると言われている。日本語の学習においても音声上の問題点と同じように学習者の言語的背景に関係なくどの学習者にとっても難しい文法事項が幾つかある。ここでは，そのなかでも特に注意を要すべき項目を取り上げて説明すると同時に日本語教育での文法項目の取り扱い方について述べる。教科書によっては取り扱いの異なる項目もあるが，ここでは，一般的な取り扱いについて紹介する。教える際には，使用教科書内での取り扱いにそって指導することが肝要である。

　また，主として中級，上級レベルでは学習者の文法的には正しいが不自然な表現，日本語では使わない表現が問題になる。この種の使い方の問題もここに含める。

第1節　文法上の問題点とその指導

1．語順

　日本語では，動詞が文末に来る。打ち消しの語は動詞と結びついて最後に表される。修飾する語，句，節は修飾されるものの前に置かれる。節と節の語順は述語が最後にくるということさえ守られれば，入れ替わっても事実上の意味の変化はない。しかし，節の中での語順は厳しく決まっている。助詞，助動詞は名詞や動詞などの後におかれ

る。また，助詞＋助詞（例：するノハ），助動詞＋助動詞（例：やめサセラレル）の場合の語順も決められており，これを無視すると意味が分からなくなる。

　語順の誤用は非常に少ない。「外国人学習者の日本語誤用例集」（寺村秀夫，1990）では，7415の誤用例中「語順」に分類されているのは49例にすぎない。私の調べた範囲内では，最も多く見られた語順の誤りは，理由の表現である（例：間違いましたから，難しい）。アメリカの心理学者R. Brownは，日本語を学習した際，英語話者であるにも関わらず，主語－目的語－動詞の語順については全然間違えなかった経験から，人間は単純な語順（linearization of speech units）を学びとる先天的な能力を持っているのではないかと述べている（R. Brown. 1973. *The First Language*. Harvard Univ. Press: p.28.）。

2．品詞の分類

　日本語教育における品詞の分類は国文法の分類とは異なる。また，文法用語の使用はできるだけ避ける。学習者の大半は言語の専門家ではなく，自国語の文法用語もさして詳しくは知らない。教科書によって品詞の分類や用語の使い方は異なるので，教えるときには，教科書の用法に従う。形容動詞，連体詞，感動詞，助動詞などの言葉はあまり使われていない。「受け身の形は動詞にレル，ラレルをつけて表す」というように説明される。

3．「…ハ──ダ(デス)」

　「ダ」は国文法では，断定の助動詞，「デス」はその丁寧体とされている。しかし，食堂で注文するときの「僕はウナギだ」の場合のように「ダ」は述部「ぼくはうなぎを食べる」を代用しているという考え方もあり，「ダ」の機能についてはまだ解明されるべき点が残っている（奥津敬一郎，1978）。英文による解説をしている日本語教科書では，「ダ・デス」は英語の"is"にあたるものとして取り扱われており，

Copula（繋辞）の名称が与えられている。国文法と同様に日本語教育でも「デス」は「ダ」の丁寧体とされているが，形容詞＋デスの形を正しい言い方として認めているので，「美しいダ」を導かないように注意する。

　「…ハ――デス」の文型は，上述の例の他にも周囲の状況から省略しても意味が通じる場合には，幅広く使われる。

> 「あの店はおいしいです。」＝「あの店の料理はおいしいです。」
> 「あの人は学校です。」＝「あの人は学校へ行っています。」
> 「私はひまです。」＝「私はひまがあります。」

4．「デス・マス」体と「ダ・デアル」体

　「デス・マス」体は丁寧体，フォーマルな文体，「ダ・デアル」体は普通体またはインフォーマルな文体と呼ばれている。初級レベルでは「デス・マス」体から入る。日本語の社会的・公的会話では，「デス・マス」体が使われ，日常会話では最も普遍性のある文体だからである。これに対して学習者が日本で日常耳にするのは親しい友人間で使用される「ダ・デアル」体であるから，こちらの方を先に教えるべきであるという意見もある。しかし，「ダ・デアル」体がどのような場面でなら使えるかの判断ができない段階でこの文体を教えるのは危険である。特に海外で学習を始める場合には，この危険性は大きい。日本で生活しているのであれば，聞いて分からなければ困るので，「デス・マス」体で学習した事項を「ダ・デアル」体にして聞かせ，自分では使えなくても理解だけはできるようにしておけばよい。この点を配慮して編集された教科書もある。

　「ダ・デアル」体は初級後半から中級にかけて間接話法や書き言葉に入る段階で導入される。書き言葉でも手紙のように「デス・マス」体を普通使用する場合もあるので，両文体の使い分けに関する知識が必要になる。この段階での問題は「デス・マス」体と「ダ・デアル」

体の混用であるが，これらの点については「書き方の指導」の章で触れる。

5．主語について

　日本語には主語はないと主張する学者もいる。金田一春彦（1956）はいわゆる主語というものの影が非常に薄いことを日本語の特色の一つとしてあげている。

　そもそも「主語」とは何かがあまりはっきりしない。「ガ」によって導かれるとされているが，必ずしもそうではない。「私ハてんぷらガ好きだ」，「あの子ハ勉強がきらいだ」の「てんぷら」と「勉強」は主語ではなく対象語である。「私」，「あの子」は，主題であって，「ハ」は　提題の助詞と呼ばれ，その前の語をとりたてて話題にする働きを持つ。

　柴谷方良（「主語プロトタイプ論」『日本語学』Vol. 4, No. 10, 1985, 明治書院, p. 8）は構文法の立場から，「主語」とはある種の統語的特性を備えた名詞句であり，日本語の「主語」は格助詞「ガ」で示されるところから，「主語」と呼ばずに「主格」と呼べばよいと述べている。日本語の「主語」の統語特性は次のようにまとめられている。

（1）格助詞「が」で示される。

（2）基本語順で文頭に起こる。

（3）尊敬語化を引き起こす。

（4）再帰代名詞の先行詞として働く。

（5）等位構文においてϕとなったり，ϕの先行詞として働く。

（6）主文と補文において同一名詞句が要求される構文では，補文のϕとなる。

（7）「の」と「が」の交替を許す。

（8）恣意的なゼロの代名詞がその位置に起こる。

（5）の「φ」というのは，二番目に繰り返される名詞句が省略されたもののことで，次の例では二番目の「太郎」が「φ」になる。

例：太郎がやって来た。＋太郎が挨拶した。→太郎がやって来て，φ挨拶した。

（8）の「恣意的なゼロの代名詞」とは，「人々」とか「どんな人でも」とか任意の人をさす場合にその語が省略されることである。

例：（「恣意的なゼロの代名詞」＝人々　が）本を読むことはいいことだ。

日本語教育では，「何」がどうするのか，「何」があるのか，「何」がどんなかといった関係を明らかにするために「主語」という言葉は使われている。「主題」も使われるが語学のクラスでは「主格」は殆ど使われない。一番の問題は主語や主題の省略で，日本語をかなり使いこなしている学習者でも悩まされる問題である。

6．動詞

日本語教育では動詞を三つのグループに分ける。

　　　a．五段活用の動詞群。…uで終わる。名称は教科書によって異なるが，第一グループの動詞とか，強動詞（strong verb）とか呼ばれる。

　　　b．上一，下一段活用の動詞群。…eru, iruで終わる。第二グループの動詞とか弱動詞（weak verb）とか呼ばれる。

　　　c．カ変，サ変動詞。「する」，「来る」。例外として扱われる。

各グループ毎に活用の規則を示し，練習する。…eru, iruで終わるにもかかわらず，aグループに属する動詞もあるので，先ず，どのグループに属する動詞かを理解させることが肝要である。（例：「帰る」はa，「変える」はbグループ。どのような形で「…ナイ」に接続するかを教える。）これさえ分かれば活用は規則的なので，問題はない。

あとは，スムーズに発音でき，どのような時にその活用形を使うかを
理解しさえすればよい。

　未然形，連用形といった用語は日本語教育では，中国や韓国で用い
られているが，一般的ではない。「…ナイ」に続く形とか，「マス」に
続く形というように説明される。

7．形容詞

　日本語の形容詞は「…い」で終わり，活用がある。形容詞が活用し
ない言語もあり，形容詞の活用は多くの学習者にとって新しい知識で
ある。形容動詞と区別してイ形容詞とも呼ばれる。「今日は暑い」と
いうように独立して述語となることができる。「今日は暑いです」と
いう言い方については問題があるとする見方もあるが，日本語教育で
は，形容詞＋デスの形で教える。したがって，過去を表す場合には
「今日は暑かったです」となる。名詞＋デスの形の類推から，「暑いで
した」になりやすい。また，否定形の「暑くない，暑くなかった」も
「暑いじゃない，暑いではない」となるので，形容詞の否定，過去，
過去の否定は，名詞や形容動詞の場合と混同しないよう，繰り返し練
習が必要な項目である。

　「アカイ」，「アカカッタ」のように，形が変わるとアクセントが変
化するものもあるので注意を要する。動詞の場合と同じように，「…
い」の形で終わりながら形容詞ではないものがあるが（例：「きれい」
が「きれいくない」となってしまう），初級レベルではあまり数は多
くないので，例外として覚えさせる。また，「大きい」，「小さい」は
名詞の前で「大きな」，「小さな」となる場合のあること，「遠く」，
「近く」，「多く」などは「遠くの，遠くに，遠くを」といった使い方
をすることもあることを例外として教えておく。文法説明のある教科
書ではたいてい触れられている項目である。

8．形容動詞

　意味と機能は形容詞によく似ているが，活用は異なる。国文法でも形容動詞を否定する説があり，日本語教育では，「ナ形容詞」，「形容詞的名詞」，「名詞形容詞」等様々な取り扱いがなされている。

　日本語学習の面では，形容詞の活用との混同が起こり，「元気くない」となってしまう。前述した「きれい」をはじめとして，形容詞か形容動詞かを理解させ，名詞の前では「…な」の形になること，その他の場合は意味は形容詞的ではあるが形の上では名詞と同じ扱いをすればよいことを教える。これも，理解はできても間違える項目なので，繰り返し練習が必要である。特に否定や「…になる」の形の他，名詞の前で「…の」を取るものとの区別に注意する。英語の場合は「元気な」も「病気の」も形容詞になるので，英語国民は混同しやすい。

9．指示詞「コ」・「ソ」・「ア」・「ド」

　「コ」は話し手が自分のなわばりに属すると考えるものを指示するときに使われ，「ソ」は話相手のなわばりに属するもの，「ア」はいずれにも属さないと考えるものを指示するときに使われる（現場指示）。下の表はコソアドの体系をまとめたものである（正保勇，1981，p. 61）。

	近　称	中　称	遠　称	不定称
方角	コチラ,コッチ	ソチラ,ソッチ	アチラ,アッチ	ドチラ,ドッチ
場所	コ　コ	ソコ	アソコ	ド　コ
もの・人	コイツ	ソイツ	アイツ	ドイツ
性状	コンナ	ソンナ	アンナ	ドンナ
指定	コ　ノ	ソ　ノ	ア　ノ	ド　ノ
容子	コ　—	ソ　—	ア　—	ド　—

　現場指示用法はごく初期の段階で教えられるが，母語での用法との差もあって，なかなか習得しにくい。また，使用法の原則を理解していても間違えやすい事項なので，「コレですか」，「ええ，ソレです」といったように，対応させた練習が必要である。

　文脈の中で使用されるコソア（文脈指示）は進んだ段階で問題になる事項である。「ア」は話し手も聞き手も知っているものをさすときに使われ，「ソ」はすでに述べられたことを指示し，「コ」は先行する文脈をまとめて指示する場合及び後述する内容をさす場合に使われる。しかし，非現場指示用法には，この他にも，観念対象指示（観念の中の対象を指示），限定指示（話題にしている物を特に限定して指示）など多様な用法が見られ，それぞれのケースに従った説明を要する。非現場指示用法は教科書にも説明がなく，上級でも間違いやすい事項である。

10.　助詞

　助詞は面倒なものの一つである。格助詞，係助詞等の名称は使わず，主語の助詞，主題の助詞，場所の助詞，手段の助詞といった機能を示す呼び方をする。動詞と関連づけて教える場合もある。

A.　「ハ」,「ガ」

　韓国人学習者を除いては，初級から上級に至るまであらゆるレベルで問題になる。現在の国文法では，「ハ」は主題を示す係助詞，「ガ」は主格を表す格助詞とされている。格助詞と係助詞とは機能のレベルが異なり，対照的に論ずるのは危険であるという説もあるが，ここでは，「ハ」と「ガ」の現代語における使い分けについて現在までに論じられていることを一応分かりやすくまとめておく。

　いずれのレベルでも，既習の事項に関する知識で理解できる範囲の説明にとどめ，使い分けに関する知識をじょじょに増やしていくほうが混乱を起こさない。また，一つの文だけではなく，コミュニケー

ションの過程の中での「ハ」と「ガ」の役割を説明しないと理解しにくい。

（A）「ハ」は提題の助詞で主題を示す。「ガ」は主語を示す。

　「ハ」は「――について言えば，――に関しては」といった意味でまず話の主題を提示する機能を持つ。「ガ」は主語を導き，述語部との主従関係を明確にする。

　　　例：　田中さんハ，背ガ高い。
　　　　　　これハ，私ガ買いました。

　提題の「ハ」は何かを取り上げてそれが他のものとは異なることを示す。山下秀雄（『日本のことばとこころ』，講談社学術文庫757，1986，pp.115-157）は「区別」や「差異」をほのめかす「ハ」の帯びる否定的な意味合いについて述べている。例えば，「いつもハあります」は「現在はない」を意味する。「それハそうです」は「部分的には賛成するが，自分にはべつの意見がある」の意味で，むしろ反対をほのめかしている。その反面，他の余裕を残す働きがあり，「みんな出かけた」と言うとだれもいないことになるが，「みんなハ出かけた」ではだれか一人は残っている意味になる。語彙もやさしく，簡単な構文だけに，かなり日本語の分かる学習者でもひっかかる「落し穴」である。

（B）「ハ」は既知の情報，「ガ」は未知の情報を提示する。

　これは，英語の定冠詞と不定冠詞の使い分けに対比され，「おじいさんとおばあさんガありました。おじいさんハ山へ柴かりに，おばあさんハ川へ洗濯に行きました」がこの使い分けの例としてよく引き合いに出される。この例のように文脈から未知の情報か，既知の情報か容易に判断できる場合には学習者にも理解できるが，初級教科書に出てくるような短文の場合には未知か既知かを判断させるのはかなり難しい。

　　　どなたガ田中さんですか。　　　この方ガ田中さんです。
　　　　未　　　　既　　　　　　　　未　　　　既
　　　田中さんハどの方ですか。　　　田中さんハこの方です。
　　　　既　　　　未　　　　　　　　既　　　　未
　　　田中さんハどうしましたか。　　田中さんハもう帰りました。
　　　　既　　　　未　　　　　　　　既　　　　未

　このような文が教えられるレベルでは，「疑問詞，いわゆる英語の
wh-のつく語及びそれに応える肯定文の主語には『ガ』を使う。ま
た，主語で示されている事物について尋ねる文及びそれに答える文の
主語には『ハ』を使う。」といった簡単な説明の方が分かりやすい。
（C）「ガ」は現場的叙述に使われ，「ハ」は観念の叙述に使われる。

　　　ａ．桜ガきれいだ。　　　　　ｂ．桜ハきれいだ。
　　　ｃ．この桜ハきれいだ。

　ａは眼前にある桜についての事実を述べた文である。それに反し
て，ｂは桜についての固定した観念の叙述で，現場を離れてもできる
表現である。しかし，ｃのように限定詞がついた場合には，目の前に
ある事物についての叙述でも「ハ」が使われる。
（D）名詞述語文には「ハ」が多く使われ，動詞述語文では，肯定に
は「ガ」，否定には「ハ」が多く使われる。

　　　ａ．田中さんハ学生です。　　ｂ．そこに本ガありますか。
　　　　　　　　　　　　　　　　　　　はい，本ガあります。
　　　　　　　　　　　　　　　　　　　いいえ，本ハありません。

　ｂは初級教科書の２，３課目ごろには導入される文型である。この
レベルでは，「否定形にはハを使うことが多い」程度の説明にとどめ
ておかないと，かえって混乱を起こす。
（E）　従属節の主語には，「ガ」が使われる。「ハ」は，従属節を越え

て，文末の述語にまでかかる。また，従属節の主語と主文の述語の主語が同じ場合には「ハ」が使われる。

     a．桜ハ散り際がきれいだ。

     b．私たちハ桜ガ咲くと，花見に行く。

     c．私ハ桜を見ると，子供のころを思い出す。

  従属節の中でも，対比を示す場合には，「ハ」が使われる。

     d．桜ハ好きでも，毛虫ハ嫌いだ。

（F） 現象を述べる文の主語は「ガ」をとる。「ハ」は文の主体を先に示し，それに対する判断を後に述べる。

     a．桜ガ咲く。

     b．上野の桜ハ，明日，見頃になるでしょう。

B. 「ト」，「ヤ」

  「ト」と「ヤ」（並立助詞）は同類の事物を列挙するのに使われるが，「ト」は，列挙した物のみしかないことを表すのに対し，「ヤ」は他にもありうることを暗示する。「ト」の方が先に教えられることが多いせいか，「ヤ」を使うべき時にも「ト」を使ってしまう誤りが往々にして見られる。また，文と文を続ける場合にも「ソシテ」の代わりに「ト」を使う誤りが多いのは，名詞を列挙することからの類推によるためであろう。

C. 「ニ」，「デ」，「ヲ」

  場所の助詞の使い分けも難しい。

a．ここニ本があります。	b．ここニ住んでいます。
c．ここデ勉強します。	d．ここヲ通ります。

「ニ」は存在を表す「いる」,「ある」や「住む」が続く時に使われる。「デ」は動作を表す動詞が続く時に使われる。「ヲ」は,移動を表す動詞,歩く,かける,走る,散歩する,滑る,飛ぶ,渡る,横切るなどに使われる。特に「ヲ」は習得が遅れる傾向がある。

D.　「ト」,「タラ」,「ナラ」,「バ」

　条件・仮定を表す助詞の使い分けもなかなか習得できない事項の一つである。最近この使い分けに関する研究がすすみ,かなり明確に説明されるようになってきた。

（A）　「ト」

　　　a．春になると,花が咲く。
　　　b．枝をゆすると,花が落ちた。
　　　c．東京に行くと,必ずその店へ寄る。
　　　d．窓を開けると,山が見えた。

　習慣的,自然発生的なきまりきった関係を表し,前件と後件の関係が話し手の意思によって左右される場合には使わない。したがって,後件には,話し手の意思,命令,許可,希望,勧め,誘い等の表現は現れにくい。ｄのような発見の条件も表す。

（B）　「タラ」

　　　a．飲んだラ,乗るな。
　　　b．着いたラ,電話して下さい。
　　　c．百万円あったラ,世界旅行がしたい。
　　　d．私があなただったラ,やはり同じ事をしたでしょう。

　前件が完了してから後件が起こる場合に使われる。前件と後件との個別的,偶発的結び付きを表す。ｃ,ｄのように現在の事実の反対を表すのにも使われる。

（C）「ナラ」

　　　a．乗るナラ，飲むな。

　　　b．雨ナラ，行きません。

　　　c．もっと勉強したナラ，こんな結果にはならなかったで
　　　　　しょう。

　ある事実を仮定し，それが成立した場合の結果に対する立場を述べ
る時に使われる。後件には，推量，判断，意思，要求等が使われ，客
観的な事実の叙述は現れない。

　過去について述べる場合には，実際には起こらなかった事柄を仮定
する。

（D）「バ」

　　　a．大人になれバ，分かるでしょう。

　　　b．あの丘に登れバ，海が見えます。

　　　c．1に2をたせバ，3になる。

　前件で述べる未成立の事柄が成立したと仮定した場合に，後件が当
然の結果として成り立つことを示す。cのように抽象的な論理関係や
一般的事実を述べる時にも使うが，具体的な状況説明には使えない。
また，文末に過去形は使えない。

II. 「行く」と「来る」

　「行く」と「来る」の使い方もよく間違える事項である。母語に
よってはこれらの語に相当する語の使い分けが日本語とは異なるせい
でもあろう。「行く」は話し手から離れ，「来る」は話し手に近づくこ
とを表すが，「――ていく」には何かをしてからでかけることと，
やってきて，何かをして，また去ることの二つの意味がある。
「――てくる」も何かをしてからやってくることと，出掛けていって
何かをしてまた戻ることを意味する。さらに，「雪が降ってくる」，

「電話をかけてくる」などは雪や電話をかける人から，話し手のほう
に視点が移ってくる。

12.　受給表現

　ヤリ・モライの表現には視点の移動や与え手と受け手の上下関係な
ど複雑な要素がからまってくる。「アゲル・モラウ」は比較的理解し
やすいが，「クレル」は話し手の視点が物を受け取る側に移る点が理
解しにくい。

　教科書の提示されている表現の練習に入る前に，「アゲル」,「モラ
ウ」,「クレル」の基本的な使い分けを身近な物の受け渡しを通して教
えておき，まず概念を摑ませる。始めは，ＡとＢは友人関係にあり，
目上・目下の差はないとしておく。その上で，ＡからＢへ身近にある
物，例えば本を実際に手渡させる。この動作を全員に見せてから，ま
わりの学習者にＡとＢが何をしたか質問する。

　「Ａさんは何をしましたか。」
　　　　　「ＡさんはＢさんに本をアゲました。」
　「Ｂさんは何をしましたか。」
　　　　　「ＢさんはＡさんに本をモライました。」

次いで，ＡとＢに何をしたかを聞く。

　「Ａさん，あなたは何をしましたか。」
　　　　　「私はＢさんに本をアゲました。」
　「Ｂさん，あなたは何をしましたか。」
　　　　　「私はＡさんに本をモライました。」

その後で，Ｂに聞く。

　「Ｂさん，あなたはＡさんに本をモライましたね。では，Ａさんは
　　何をしましたか。」

「Ａさんは私に本をクレました。」

　始めに教師がＡ及びＢになってやってみせてから，学習者同士の会話に移る。クレルはＢの立場からしか使えないことを印象づける。説明は不要である。このレベルでの学習者にとっては説明の日本語の方が難しく，クラス内での簡単な説明ではかえって混乱する。教科書に文法説明がなく，どうしても説明が必要な場合は母語または媒介語での懇切丁寧な説明をプリントにして渡す。小人数のクラスであるならば，物の受け渡しと上記の応答を全員の間で繰り返す。10〜20人位の成人のクラスであるならば，普通，一回りする頃には，少なくとも，基本的な使い分けは理解できるようになる。これがしっかり習得されてから，「サシアゲル」，「イタダク」，「ヤル」，「クダサル」の使い分けを同様の方法で示す。今回は，渡し手は常に目上と決めておく。この時問題になるのは，「ヤル」の使い方である。最近では，「アゲル」が幅広く使われるようになってきており，「ヤル」は相手が動植物の場合ぐらいにしか使われなくなっている。「ヤル」については，基本的な使い方を説明するにとどめて，目下に手渡す場合でも「アゲル」を使用した練習を行って差し支えないであろう。その後，常に目上に渡すという条件で，「サシアゲル」，「モラウ」，「クレル」の練習をする。この練習が一わたりすんでから教科書に入り，その後で，「クレル・クダサル」の使える「領域」をじょじょに広げていく（例：Ａさんは私の妹にお菓子をクレました―クダサイました）。

　学習者が子供である場合には，本当に上げたり，もらったりしてもいい物を使って教えないと，所有権の委譲を表す表現であることが分からず，手渡すことと誤解する恐れがある。

　好意や利益の授受を表す「――テアゲル」，「――テモラウ」，「――テクレル」も視点が移るという授受動詞の使い方と同じ側面を持つが，目上・目下の関係を考慮した使い分けに関しては必ずしも同

じではなく，実際に使われる場面や環境も異なる。文脈や使われる前後の状況の助けを借りないと理解しにくいこともあって，頭の中では理解できたとしても実際に使いこなせるようになるまでにはかなり時間がかかり，初級レベルの作文ではまず現れない。その代わりに「Ａさんは私のために窓を閉めました」，「私が寒いのでＡさんは窓を閉めました」といった形で表現する傾向が見られる。

　事実の描写や報告ではなく，話し手の判断（共感）の入る表現なので，単なる文型練習ではなく，これらの表現を引き出すような条件を作った上での練習が必要である。助詞の使い方に注意させる。例えば，なかなか開かない箱をＡに開けさせて，下のような表現を引き出す。

　　　　Ａさんに開けテモライました。
　　　　Ａさんは開けテアゲました。
　　　　Ａさんは開けテクレました。

　「――テヤル」は，「殴ッテヤル」，「こわしテヤル」というように，他に害を与える時にも使用する。また，「――テサシアゲル」は時としては，押し付けがましくなるので避ける場合も多い。一方，特に必要もない場合でも「――テイタダク」，「――テクダサル」は使われている。（例：「その角を右に曲がっテイタダクと左手に駅がございます。」，「ラケットをこういう向きにしテアゲルと，ボールはよく飛びます。」など）

　このように日本人の思考方法も関係してくる表現なので，初級レベル後半の学習項目ではあるがこのレベルでは「理解」できる程度にとどめ，中級レベルの読解を中心とした教材を使用する段階で詳しく説明し，使い方の練習をするほうが効果的である。

13. 「スル」,「シテイル」(動詞のアスペクト)

　動詞は「シテイル」の形をとるかとらないか,「シテイル」の形に意味がどう対応するかによって四グループに分類される(砂川有里子, 1986)。

静的動詞　状態動詞　　　「シテイル」の形にならない。
　　　　　　　　　　ある, いる, できる, 小さすぎる, 要る
　　　　　　形容詞的動詞　常に「シテイル」の形で使われる(文
　　　　　　　　　　　　末以外では「スル」,「シタ」になるこ
　　　　　　　　　　　　ともある)。
　　　　　　　　　そびえている, とがっている, すぐれている
動的動詞　継続動詞　　　「シテイル」の形で動作の継続を表す。
　　　　　　　　　飲む, 食べる, 歩く, 走る, 読む, 書く, 聞く,
　　　　　　　　　起きる
　　　　　　瞬間動詞　　　「シテイル」の形である行為の結果の
　　　　　　　　　　　　状態を表す。
　　　　　　　　　死ぬ, 終わる, 消える, 閉まる, 行く, 結婚する

「あの人を知っていますか」の否定の答えは「いいえ, 知りません」となり,「知っていません」とは言わない。「あの人は落第すると思います」と言うと落第するのはあの人であり, 思っているのは話し手である。一方,「あの人は落第すると思っています」となると, 落第するのも思っているのもあの人である。このように「スル」と「シテイル」の使い分けは複雑で, 初級後半から中級レベルにかけての難しい学習事項である。中級レベルでの自由会話では,「スル」と「シテイル」の誤用が目立つ。

14. 自・他動詞……「シテイル」,「シテアル」

　自動詞と他動詞は似ているだけにかえって区別しにくいようである。母語に自・他動詞の区別のある学習者にも覚えにくい。自・他の

差が分からないと，「窓が開いている」，「窓が開けてある」，「窓を開けている」が出てこない。「イル」と「アル」の区別のない言語もある上に自・他動詞の不確かな知識が重なって「シテイル」，「シテアル」を目茶苦茶に混同する学習者が多い（例えば韓国人学習者の場合）。まず，よく使われる自・他動詞の区別がしっかりつけられるようにしてから，「シテイル」，「シテアル」の文型を導入する。「窓が開いている」，「窓が開けてある」は，いずれも状態を表しているが，後者には，意図的に行った動作の結果を表すという基本的な性格がある。例えば，「電気がつけてある」は何かをするために電気がついている状態である。

15. 呼応の表現

日本語は重要な述部が文末にくる。しかし，その前に結末を予告するような表現が使われ日常のコミュニケーションにはそれほど困らない。呼応の表現はこのような機能を持つ表現の一つで，例えば，「シカ——ナイ」，「カナラズシモ——ナイ」，「マルデ——ヨウ」，「——サエ——バ」などがある。

「シカ——ナイ」は初級で習う表現であるが，意外に難しく，「——ダケ」で代用される傾向がある。「——ダケ」は「ちょっとダケいただきます」といったように，ある範囲を限定し，それで十分であることを表す。一方，それでは不十分である，それでは困るといった否定的意味合いを込めた場合には「シカ——ナイ」の方を使う。

16. 受け身表現

受け身表現はどの言語にも見られるので，受け身の概念そのものは理解しやすい。しかし，どんな場合に受け身表現を使用するかは，言語によって異なり，日本語の受け身の使い方とはずれがある。

日本語では本来無生物は受け身の主語にはならない。しかし，迷惑を蒙った行為については，対象となる無生物を主語にできる。

a．門が破られた。　　b．鍵が壊され，室内が荒らされた。

何が動作を行うかよりも，何が行われるかを問題にする場合には，最近よく受け身が使われる。この場合，動作を行うものは，特定の個人ではない。

a．卒業式は3月20日に行われる。　b．記念切手が発行された。

他動詞は勿論，自動詞も受け身に使われ，普通，迷惑を蒙った意味がある。

a．父に死なれた。　　　　　　b．雨に降られた。

c．手紙を母に読まれた。　　　　d．皆に笑われた。

17. 自発の表現

主体の意思とは無関係に，または，意思に反して，自然にそうなることを表す。「新しさが見受けられる」，「本が売れる」，「空が晴れる」，「泣けてくる」等の他，「見える」，「聞こえる」も自発の表現である。心理的な活動を示す動詞，「思う」，「感じる」，「忍ぶ」，「驚く」等の受け身形や可能形も自発の意味を持つ。（例：これは正しいと思われる。将来が案じられる。）形としては，極く単純であるがこの用法が使えるようになるのは中級レベル後半辺りになる。初級レベルでは意味が分かればよいであろう。無責任な表現であるから論文などでは避ける方がよいとされている。

18.「コト」と「モノ」

国文法では「コト」，「モノ」は形式名詞とされている。形式名詞とは，実質的な意味は希薄で常に連体修飾語を伴ってのみ用いられるとされているが，普通の名詞と区別して扱う必要はないとする説もある。使用頻度が高いにもかかわらず，一般の国文法の参考書でもあまり多くは解説されていない。日本語の教科書でもAlfonsoの*Japanese*

Language Patterns に簡単な意味及び用法の説明が見られるのみでその他のものは“thing”という単なる訳語を与えているにすぎない。特に「モノ」は形式名詞の他に，「モノ」，「モノカ」は終助詞，「モノデ」，「モノナラ」，「モノノ」，「モノヲ」は接続助詞とされているが，意味の上では話し手の態度が表示される（モダリティ）ので，適切な解説が必要である。中・上級レベルの外国人学習者が増加しつつあることから，日本語教育の分野での研究が望まれる事項である。

第2節　語用上の問題点

　文法や語彙の問題というよりも，日本語を使う上で問題になる事項がある。ここでは，日本語の自然な表現方法を身につける上での問題点をまとめてみた。これらの問題点は文型練習のみを行っていたのでは不十分であることを物語っている。

　現在では，このような言語の機能に注目した研究も行われるようになってきた。

1．敬意表現

　敬意表現は，尊敬語や謙譲語といった敬語の使い分けの問題の他に，直接的表現を避ける言い表し方，自己と相手の位置づけ，使うべき敬語表現のレベルの判断など，文法的な知識以外の要素が関わり合っているので難しい。

　尊敬・謙譲語の基本的使い分けをしっかり身につけさせてから，年令や社会的地位の上下，内と外，親疎の関係による敬意の程度の差をいろいろな具体的場面を設定して教えなければならないが，クラス内では教師と学生，親と子，先輩と後輩といったような二元的関係をこえた場面設定はなかなかしにくい。視聴覚教材を活用するなどの工夫が必要となる。母語に敬意表現を持つ学習者は，母語での敬意を表す場面や人間関係が日本語の場合と必ずしも一致しないので間違えるこ

とがある。例えば，韓国では，人間関係の上下が内と外の概念より優先する。したがって，他人との会話でも自分の親について尊敬語を使う。

２．間接的表現

　間接的な表現法も教えておかないと適切な表現ができない。例えば，「先生は私の宿題を見たいですか」という表現は文法的ではあるが，適切な言い方ではない。「先生はよく教えましたから，私は日本語が上手です」も同様である。「宿題を見ていただけませんか」，「先生が熱心に教えて下さいましたから」というように，相手から恩恵を受ける形の表現が使われることを説明しておかなければならない。これは，発想の転換も伴う点が理解しにくい理由の一つとなっている。

３．禁止・依頼の表現

　「……して下さい」は依頼の表現であるが，その打ち消しの形「……しないで下さい」は禁止の表現として使われている。依頼の打ち消しは「……しなくてもいいです」で表されるが，一般的には「……していただかなくても結構です」というように，やはり相手から恩恵を受ける形をとる。禁止の表現にも，丁寧さのレベルがいろいろあり，相手によって使い分けられている。

　依頼の表現も「……して下さい」はやや事務的であり，「……して下さいませんか」，「……していただけませんか」の方が柔らかい表現として好まれる。道を教える場合でも，「そこを右に曲がっていただいて」という表現が使われることがある。この他にも，依頼を表すためには，場面に応じて，間接的な表現が使われる方が普通である。

４．「はい」と「いいえ」

　否定の形で聞かれたときの「はい」と「いいえ」の使い方が英語の場合とは逆であると思われている。しかし，この使い方にもいろいろ

な場合がある。例えば，「――しませんか」と聞かれたときには「え
え，しましょう」となり，「――しないんですか」に対しては，「え
え，しません」となる。前者は話し手が誘っている表現で肯定の答え
を予想しているが，後者では，否定の答えを予期しているからであ
る。

　日本語の「はい・ええ」は肯定を表すというよりも，相手の話に対
するあいづちのような役割を果たしている。日本人は物事を断るとき
にも「はい」と言いながら婉曲に断る。

　この点について金田一春彦（1981，p.238-9）は次のように説明し
ている。

　「英語のyesとnoは，ただそのセンテンスが肯定の意味であるか，
否定の意味であるかの違いですが，日本語の『はい』の方は，あなた
のお考えは正しいですという意味があり，『いいえ』の方はあなたの
お考えは違います，という意味になる。そのために日本語では『いい
え』という言葉は，使いにくいのです。」

5．間投助詞・終助詞

　話し手の聞き手に対する気持ちを表す働きを持つものとして「ワ」，
「ゾ」，「ネ」，「サ」，「ヨ」などの終助詞や間投助詞がある。学習者の
日本語が流暢になるにつれて，じょじょに使われるようになるが，イ
ントネーションの問題も含めて，これらの助詞の自然な用法を習得す
るまでには，かなりの日本語使用歴を必要とする。これらの助詞の使
い方を解説している教科書も殆どない。上野田鶴子（1972）によれ
ば，「ワ」，「ゾ」，「ゼ」，「サ」，「ヨ」，は話し手の判断を聞き手に主張
し，「ネ（ナ）」，「ネエ（ナア）」は聞き手に最終的判断をゆだねると
いう意味内容を持つ。終助詞の使用には，話し手の性別，話し手と聞
き手の社会的関係，会話の行われる場の公私などが前提条件になると
されている。「それでネ」，「あのネ」，「それでサ」を連発する学習者

を時折見かけるが，使いすぎるとなれなれしく，子供っぽい印象を与えること，品が悪くなることを注意しておく方がよい。

6．場面と表現

　フランスで電話を取り次ぐときには，まず「Ne quittez pas（お切りにならないで下さい）」というのが普通である。フランス語のあまり得意でない英語話者はこれを聞くとたいてい電話を切ってしまう。その理由を尋ねると，「否定形を聞いたので，その人はいないのかと思った」と言う。このような場合，英語では「Hold on, please（そのままお待ち下さい）」と答えるのが普通で否定形は使わない。一方日本人は「お切りにならないでそのままお待ち下さい」の表現に慣れているので，否定形を聞いても電話は切らない。

　これと同様なことは，日本語学習者にも言えるであろう。ある場面においてどのような構文の表現が使われるかは言語によって異なる。これを知らないと文法的には正しくても不自然な発話を使ってしまう。水谷信子（1985）は日英語間のこのような差について種々の例をあげている。たとえば，電車の中で財布をとられたとき，日本語では「財布をとられた」というのが自然であるのに対し，英語では「Someone took my wallet.」というのが普通なので，英語話者は日本語でも「だれかが私の財布をとった」と言ってしまう。

参考文献
　（1）上野田鶴子（1972）「終助詞とその周辺」，『日本語教育』17号，pp. 62-77．
　（2）大野晋他編（1977）『岩波講座日本語』6，7，岩波書店．
　（3）奥津敬一郎（1978）『「ぼくはウナギだ」の文法』，くろしお出版．
　（4）北原保雄，山口佳紀編（1989）『講座日本語と日本語教育』第4巻，「日本語の文法・文体　上・下」，明治書院．
　（5）金水敏，田窪行則編（1992）『指示詞』，ひつじ書房．
　（6）金田一春彦（1957）『日本語』，岩波新書265，岩波書店．

（ 7 ）─────（1981）『日本語の特質』，日本放送出版協会.

（ 8 ）久野暲（1973）『日本文法研究』，大修館書店.

（ 9 ）窪田富男（1990）『敬語教育の基本問題　上・下』，国立国語研究所.

（10）小泉保（1990）『言外の言語学』，三省堂.

（11）鈴木重幸（1972）『日本語文法・形態論』，むぎ書房.

（12）砂川有里子（1986）『する・した・している』，くろしお出版.

（13）田中望，正保勇（1981）『日本語の指示詞』，国立国語研究所.

（14）寺村秀夫（1981）『日本語の文法　上・下』，国立国語研究所.

（15）─────（1984）『日本語のシンタクスと意味』Ⅰ，Ⅱ，くろしお出版.

（16）─────（1990）「外国人学習者の日本語誤用例集」，文部省科学研究費特別推進研究「日本語の普遍性と個別性に関する理論的及び実証的研究」報告書.

（17）仁田義雄・益岡隆志編（1989）『日本語のモダリティ』，くろしお出版.

（18）日本語教育学会（1982）『日本語教育事典』，大修館書店.

（19）野田尚史（1991）『はじめての人の日本語文法』，くろしお出版.

（20）文化庁（1973）『日本語と日本語教育──文法編──』

（21）水谷信子（1985）『日英比較話しことばの文法』，くろしお出版.

（22）南不二男（1974）『現代日本語の構造』，大修館書店.

（23）山口佳紀編（1989）『講座日本語と日本語教育』第 5 巻，「日本語の文法・文体　上・下」，明治書院.

（24）渡辺実（1973）『国語構文論』，塙書房.

（25）荒竹出版・外国人のための日本語例文・問題シリーズ.

（26）くろしお出版・セルフマスターズシリーズ.

（27）「特集：語用論」，『日本語教育』79号（1993）.

（28）A. Alfonso (1966) *Japanese Language Patterns*,上智大学.

（29）Leech, G. N. (1983) *Principles of Pragmatics*, Longman〔池上嘉彦，河上誓作訳（1987）『語用論』，紀伊国屋書店〕.

（30）Levinson, S. C. (1983) *Pragmatics*, Cambridge Univ. Press〔安井稔・奥田夏子訳（1990）『英語語用論』，研究社出版〕.

第11章　ドリルの種類

　ここでは，クラスで行う練習をドリルと呼び，復習やまとめのため
に課すクラス外での練習をエクササイズと呼ぶ。

第1節　文型練習

　初級レベルでの文型練習というのは，ある文型を与えた後，それを
指示に従って変化を加えさせ，応用のきく新しい言語習慣を形成させ
ようという練習方法でA‒L教授法の典型的なドリルの方法である。

　この教授法では，自動的に反応できるようになるまで口頭による機
械的ドリルを大量に行うことを重視した。現在では，この練習方法に
対する批判もあるが，この練習には，文型を覚えることの他に，新し
い語の発音に慣れるという機能もあり，初級レベルではやはりこの種
の練習は不可欠である。しかし，提示の方法を工夫し，意味も分から
ずに機械的ドリルを繰り返すのは避けなければならない。外国人とし
ての不自然さは残っていても，新しい表現がかなり明確に言えるよう
にならなければ，言語によるコミュニケーションは成立しない。ま
た，コミュニケーションを強調するばかりで言語の核となるものを習
得させなければ，語学能力の発達は見込めないであろう。その意味で
も，適度の文型練習は無視できない。

　初級日本語教科書には，文型の積みかさねによって文法を理解させ
る方式をとり，文法に関する説明のないものも多いので，それだけに
文型練習は重要になってくる。

　文型の配列は使用頻度の高いものを優先させ，易から難へ，基本的なものから派生的なものへと進ませる。

Ｉ．文型練習の型

ａ．模倣練習（Mim-men drill）

　教師が口頭で与える文を模倣させる。新しい文型を提示し，その文型が口頭で言えるようにする。新出文型や語彙の提示の段階で多く使われる。この段階で発音を習得させる。単純な練習なので飽きを誘わないように注意する。

ｂ．代入練習（Substitution drill）

　文型練習の代表的なタイプのドリル。文の一部を指示に従って入れ替えさせて新しい文を作らせる。

　例１：これは<u>本</u>です。「机」……これは机です。

　机，鉛筆，ノート等の単語（キュー）を与え，本（スロット）の部分を入れ替えさせる。キューの与え方には，口頭，実物，絵など種々の方法がある。意味のない文を作らせないようにキューを選ぶ。キューは一つとは限らない。どこの部分を入れ替えるのか迷わないように例を示して事前に明確にしておく。単なる入れ替えだけではなく，適宜文中の必要な部分を変化させるような練習でなければ，あまり意味がない。

　例２：昨日，東京へ行きました。　「明日」……明日東京へ行きます。

　例３：私は日本人じゃありません。「病気」……私は病気じゃありません。

　　　　　　　　　　　　　　　　　「大きい」……私は大きくありません。

c．変形(転換)練習 (Transformation, Conversion drill)

指示に従って与えられた文型を変えさせる。

例1：今日は寒いです。「否定形に」……今日は寒くないです。
「質問形に」……今日は寒いですか。

例2：これは本です。きのう，この本を買いました。
「一つの文に」……これはきのう買った本です。

d．応答練習 (Question & answer drill)

条件を与えて質問に答えさせる。

例1：今日は寒いですね。「いいえ」……いいえ，今日は寒くありません。(寒くないです。)

例2：昨日，どこへ行きましたか。「デパート」……デパートへ行きました。

テープで与える応答練習では，答え方は一つに限定される。学習者の反応が正しかったかどうかを確認するための正答は一つしか与えられないからである。テープ教材を作るときには，この点に注意しなければならない。クラスで学習者と対して行われる練習であれば，学習者の個人的条件にそくした答えも可能であり，これは会話練習の一部にもなる。

e．拡張(展開)練習 (Expansion drill)

与えられた語句を付け足しながら，次第に長い文を作らせる。長い文がすらすら言えるようにすると同時に，文を構成する要素を把握させるのに役立つ。

例：本です。……本です。
「日本語の」……日本語の本です。
「友達に貰った」……友達に貰った日本語の本です。

「この間」……この間友達に貰った日本語の本です。

「これは」……これはこの間友達に貰った日本語の本で
す。

2. 初級レベルでの文型練習の与え方

a. 文型の導入

　新しい文型の形や特徴，意味を紹介し，どのような場面で用いられるかを説明する。既習の文型，視覚教材，実物，動作，新しい文型の豊富な例等により，できるだけ具体的に示し，文型の使われる場面と文型の意味をよく理解させる。

b. 文型の練習

　文型の性格に従って最も適した型の練習方法を選び，練習方法をよく理解させる。始めに教師が幾つか例を示し，学習者に自分たちが何をしようとしているかをよく徹底させた後に練習に入る。初心者には，始めから学習者に練習を与え，こちらの望む反応を期待する例が多いが，学習者の混乱を誘うばかりで，学習者を動かすことはできない。この段階では，教師は必要なキューを与える以外にはしゃべらず，できるだけ学習者に話させるようにする。スピードもこの練習の大きな要素であり，もたもたしていては，練習の意義も薄れるし，学習者の意欲をそぐ。

　文の形は同じでも意味の異なる文は同時に与えない方がよい。文型にこだわるあまりに，意味も使い方も全く異なる文を混同して並べてある教科書もあるので，注意を要する。

c. 文型の応用

　文型を教えただけでは，使えるようにはならない。どういう場面でその文型を使うか，どういう質問をされたとき，その文型を使って答えるか等コミュニケーションの過程でその文型が果たす役割を理解さ

せなければならない。文型練習の前後で必ずその文型を使用した簡単な会話練習（または，応答練習）を行い，自分の言いたいことをその文型を使って言えるようにする。その段階まで達しなければ，その文型を学んだことにはならない。

3．中級レベルの文型練習

　中級レベルでは口頭練習よりも読解が学習の中心となる。流暢に言えることよりも，その文型の使い方の理解を確認すると同時に，その文型が自分でも使えることを目的としている。文型のみでなく，種々の表現，特に慣用的な表現の使い方の練習も含まれる。このレベルでの文型練習では，ある文型または，表現の例を幾つも示して説明を与えた後，その文型または，表現を使った短文を学習者に作らせる。一見やさしく思われる文型でも，必ず文を作らせてみる。学習者自身は理解したと思っていても思いがけない誤解をしていることが往々にしてあるからである。文法的には正しくても不自然な日本語だったり，学習者の母語の構文のまま日本語の単語が並べてあったり，類似の文型と混同していたり，誤解の原因がどこにあるかも，文を作らせてみて始めて分かることがある。誤用については，それがなぜいけないかをできるだけ具体的に説明する。しかし，思いもかけない誤用が出てきて，なぜそれが正しい日本語とは認めがたいか，説明しきれない場合もあり，教師の力量が試されると同時に，教師にとっても学ぶことの多い練習である。これらの誤用から研究のヒントが得られることも多い。

　同じ中級レベルといっても，自分では使えなくても理解のみできればよい文型もある。このような文型がある場合には，理解するのみでよいものと自分でも使えなくてはいけないものとを識別するような印を文型ごとにつけておくとよい。テストでの出題形式が関わってくるからである。

第2節　ロールプレイ

１．特定の場面を設定したロールプレイ

　ある場面を設定し，役割を与えて，会話を行わせる。場面の設定は学習者が実際に遭遇すると思われるものを選ぶ。

　役割の与え方には，短い会話の一部を与え，他の部分は会話が成立するように学習者に自由に埋めさせるもの，会話のヒントになるようなものを与え，条件に従って会話を行わせるもの，それぞれの役割を書いたカードを与え，それに従って会話を行わせるものなどがある。学習中の文型や表現の応用にも使えるし，学習者のレベルに合った表現を自由に使わせることもできる。

２．シュミレーションにおけるロールプレイ

　ある状況についての情報を提示し，解決すべき問題や遂行すべき役割を学習者に与える。例えば，外国人が東京の町中で道に迷ったという状況設定をし，学習者に外国人の役割を与え，通りがかりの日本人（教師）に現在自分のいる所はどこか，最寄りのJRの駅はどこか聞くように指示を与える。

第3節　情報交換（インフォメーション・ギャップを埋めるドリル）

　学習者は2人で組んで，または二つのグループA，Bに分かれて活動する。AとBにそれぞれ異なるインフォメーションを与える。相互にインフォメーションについて教え合い，最後には両者が相手のインフォメーションについて説明できるようにする。例えば，夏休みにAは九州に，Bは北海道に旅行し，休み後，互いに休み中の経験について話し合うという設定をし，Aには九州についてのインフォメーションを与え，Bには北海道についてのインフォメーションを与える。双方で質問と応答を繰り返しながらインフォメーションを交換し，相手

の経験について，それぞれ第3者に報告させる。インフォメーション
を文書で与えれば，読解練習に，音声で与えれば，聴解練習になる。

第4節　タスク

　ある達成すべき課題を与える。例えば，ある地方の天気予報を聞い
て，これからその地方に出かける人にどういう服装や準備をして行く
べきかを述べさせる，いろいろな地方の天気予報を聞かせて，地図上
に各地方の天気を記号で記入させる，ある新聞の求人広告を読ませ
て，それについて問い合わせる手紙を書かせるなど，学習者が必要と
するであろう課題を選んで与える。

第5節　その他のドリル

　ビンゴやクロスワード・パズル，「20の扉（相手の考えている事物
を20以内の質疑応答で当てる）」などの言語を使ったゲームや，ドラ
マの脚本書きから，上演，ビデオ取りまでを学習者にやらせるなど，
総合的に言葉を使わせる。

参考文献
（1）岡崎敏雄，岡崎眸（1990）『日本語教育におけるコミュニカティ
　　ブ・アプローチ』，凡人社.
（2）奥津敬一郎（1973）「文型教育」，『日本語と日本語教育——文法編
　　——』，文化庁，pp.1-26.
（3）栗山昌子，市丸恭子（1992）『ドリルとしてのゲーム教材50』，凡人
　　社.
（4）村野良子，谷道まや（1988）『絵とタスクで学ぶ日本語』，凡人社.
（5）Johnson, K.＋K. Morrow ed. (1981) *Communication in the Class-
　　room*, Harlow, Longman〔小笠原八重訳（1984）『コミュニカティ
　　ブ・アプローチと英語教育』桐原書店〕.

第12章　カリキュラムのたて方

　その機関全体の到達目標達成のためのカリキュラムから始まって，ある特定コースの目標達成のためのカリキュラム，あるクラスの目標達成のための計画，いわゆる教案に至るまで，種々の授業計画がある。

第1節　授業計画の実際

　コースや各授業がどのような構成で行われているかは教育機関により，教師によって異なるが，ここでは幾つかの実例とその他にどのような可能性が考えられるかを示す。

1．教育課程及びコースの例

例1．国際基督教大学における日本語教育課程

　外国人の正規学生は，45単位の日本語教育科目をとらなければならない。初・中級日本語コースは二大別される。一つは「日本語集中教育」で週22時限，3学期間36単位，もう一方は「日本語 I -VI」で週10時限，6学期間36単位である。後者をとった場合には，4年で卒業するのはかなり難しい。さらに「上級日本語 I，II」（「講読理解」，「作文および論文」，「講義理解」の3コース），I は週9時限，1学期間6単位，II は週6時限，1学期間3単位が必修になっている。日本語の話し言葉，書き言葉の初・中級コースで，会話，文法，かなと漢字の読み書き及び視聴覚教材による演習が行われる（『国際基督教大学教養学部要覧 1992-94』による）。

例2. 国際基督教大学集中日本語コース

　週22時限のコース。1年間で基礎的な日本語力をつけ，2年目から
は，日本人学生と共に，日本語を使用してコースがとれるようにする
ことを目標。第1学期（約10週間）は読み書き練習も行うが，基礎的
学習事項の口頭練習が中心となる。第2学期目からは読解中心の教科
書を使用して，さらに進んだ段階の文法，読み書き能力をつけ，口頭
練習も行う。原則として1日1課進む。教科書に入る前に平仮名の読
み書き，日常の挨拶，クラスで使う表現を教える（国際基督教大学，
1994，『日本語教育プログラム報告』）。

　　各課のすすめ方
　　　第1日目　　3限　新しい課の導入
　　　　　　　　　4限　練習
　　　　　　　　　5限　漢字と読み物
　　　　　　　　　　　　（宿題，復習，予習）
　　　第2日目　　1限　会話（火曜のみ）文法復習（木曜のみ）
　　　　　　　　　2限　ロールプレイ

　毎日前日学習した課の内容に関するクイズがある外に，1週間毎お
よび学期末のテストが課せられる。成績は漢字と作文，内容の理解，
構文理解，会話の4分野別につけられる。

例3. 海外における夏季研修会

　これは，英国で1989年夏から5年間行われた日本語夏季研修会の例
である。
　　期間　　　6週間（1日60分×5限）（2年目のみ8週間）
　　　　　　　原則として，教師も受講者も期間中は同じ宿舎で生活を
　　　　　　　共にする。
　　対象　　　一般学生（高校生を含む），一般社会人

目的　　読み書きも含めて，実用的日本語を習得させる。

　　　　初級　日本語能力試験４級程度の日本語力をつける。

　　　　中級　　　〃　　　　　３　　　　〃

　　　　　　原則として，初級修了後通信教育を受講し，翌夏中
　　　　　　級に入る。したがって１年目は初級のみ，５年目は
　　　　　　中級のみが開講された。

教材　　教科書　初級　1, 2年目　Japanese for Busy People

　　　　　　　　　　　3年目　　　Comunication Japanese前半

　　　　　　　　　　　4年目　　　Japanese for Everyone前半

　　　　　　　中級　2-4年目　Communication Japanese後半

　　　　　　　　　　　5年目　　　Japanese for Everyone後半

　　　　絵教材，VTRなど。

時間割　　1限　　新しい課の導入（VTR利用）

　　　　　2, 3限　口頭練習（会話・ロールプレイを含む）

　　　　　4限　　L.L./クイズ(前課の漢字)・漢字の読み書き

　　　　　5限　　VTRによる聴解練習

　練習帳の類は宿題とし，毎夕食前に提出し，翌日までに教師が目を
通し，返還する。筆記テストを毎週土曜日に行い，修了テストとし
て，構文，作文，会話テストが行われた。

　日本語のクラスの他に，週に１回，日本に関する文化的な催しが計
画された。

２．クラス内容の例

例１．スライド教材を利用した中級口頭表現クラス

　早稲田大学語学教育研究所で担当したコースの例である。教材が一
ケ月を単位としたものなので，授業計画も一ケ月単位でたてた。

　　　使用した教材……スライドバンク「12か月」シリーズ：各月毎の
　　　　　　　　　　　行事や習慣を示したもので詳細は「視聴覚教材

　　　　　　　　　　の利用」の章を参照。

対象………………早稲田大学学部留学生の漢字・非漢字系混合ク
　　　　　　　　　ラス。

行動目標…………a．その月の主な行事について（少なくともス
　　　　　　　　　　ライドで取り上げられている行事について）
　　　　　　　　　　日本語の説明が理解できる。

　　　　　　　　　b．それらの行事について日本語で説明でき
　　　　　　　　　　る。

　　　　　　　　　c．自国の同じような行事について日本語で説
　　　　　　　　　　明ができる。

　　　　　　　　　d．行事の背景となっている日本人の発想につ
　　　　　　　　　　いて理解する。

　　　　　　　　　e．できるだけ自然な日本語で応答できる。

　　　　　　　　　f．既習の語彙や表現をできるだけ効果的に使
　　　　　　　　　　用するコミュニケーション技術を身につけ
　　　　　　　　　　る。

授業の手順　第1週目……その月のスライドを提示し，問答形式
　　　　　　　　　　　　で内容の理解をはかる。付属のテープ教材
　　　　　　　　　　　　を聞かせ，同様の方法で理解を確かめる。

　　　　　　第2週目……学習者を二人ずつ組ませ，好みのスラ
　　　　　　　　　　　　イドを一こま選ばせてそれについて会話を
　　　　　　　　　　　　行わせる。それをテープレコーダーで録音
　　　　　　　　　　　　する。

　　　　　　第3，4週目…録音を再生し，訂正を加えると同時
　　　　　　　　　　　　により適切な表現の紹介と練習を行う。

指導の重点………a．中級レベルであることから，できるだけ自
　　　　　　　　　　然な表現へと導く。

　　　　　　　　　b．よく使われる表現で且つ誤って使われたも

のはその表現を使って質問に答えさせる形で全員に練習させる。

c．間違っても恥ずかしがらなくてもすむような雰囲気を作る。

d．音声面での訂正は意味の混同を招くような場合のみにする。この段階では訂正しても直る可能性は少なく，その面で劣等感を抱かせる恐れのある活動を行うよりも，既習表現の使用技術の習得に力を集中させる方が効果があると判断したからである。

成績……………録音した内容を発音・アクセント等の音声面，文法的正確さ，語彙の選択（表現の適切さ），応答の適切さ，発話の量の観点から採点し，100点満点で採点。他クラスの結果と総合したものが最終的な成績となる。

例2．第1週目のクラス(90分)の例

（1）行動目標

① スライドバンク「12か月シリーズ」に含まれている3月の諸行事および習慣——ひな祭り，学芸会，転勤，彼岸，だるま市——の文化的背景を理解する。

② 上記の行事および習慣について日本語で聞いて理解できる。

③ 上記の行事および習慣について自然な日本語で説明できる。

④ 同じような自国の行事および習慣について自然な日本語で説明できる。

（2）授業の手順

A．Part Iのスライド，3月の行事と習慣，の内容の説明（40分）

例：「ひな祭りI（段飾り）」

a．スライドを一こまずつ見せ，絵について学習者に一人一項目ずつ自由に説明させる（3‐4人）。

例：人形が沢山かざってある。

女の子と男の子が遊んでいる。

テーブルの上に御馳走が並んでいる。etc.

b．要点を板書する。（教師）……人形，女の子と男の子，御馳走

c．応答しながら「ひな祭り」の説明。（教師）

いつか……3月3日

人形は何と呼ぶか？……ひな人形（内裏雛，3人官女，5人囃）

女の子は何をしているのか？……女の子が男の子を招待

以下，同様の手順で「ひな祭りII（立ちびな）」，「ひな祭りIII（白酒・菱餅・ひなあられ）」，「学芸会」，「転勤」，「彼岸I（墓参り）」，「彼岸II（おはぎ）」，「だるま市」の説明。

d．初めからもう一度一こまずつスライドを見せ，学習者に各こまの説明をさせる。

B．PartIIのスライド「卒業式・謝恩会」とテープの視聴（50分）

a．テープと同調させて，スライドを全部見せる（6こま）。

b．一こまずつスライドを見せテープを聞かせる。応答しながら理解を確認する。（5分×6こま＝30分）

2こま目例：

何をしているところか？……卒業証書を渡している。

だれが卒業証書を渡しているか？……学長が渡している。

だれが卒業証書を受け取っているか？……女子学生が受け取っている。

女子学生は何を着ているか？……着物を着て袴をはいている。

以下，同様の手順で「写真撮影」，「男子学生と女子学生の会話」，「謝恩会」，「先生に挨拶」。できるだけテープに含まれている語

彙・表現を使用する。

c．「男子学生と女子学生の会話」，「先生に挨拶」のテープをもう
　一度聞かせ，同じ内容の会話でも相手によって言い方が異なる点
　を確認させる。

d．一こまずつ初めから見せて学習者に説明させる。テープは聞か
　せない。（10分）

e．自国の卒業式や謝恩会の習慣について自由に話させる。（残り
　時間を活用）

第2節　計画をたてる手順

　ある教育機関の総合的な日本語教育課程はその機関全体の目標とも
関連するので，日本語教師のみの判断では決められない。日本語教師
の意見をまとめた上で，日本語教育関係の責任者と行政関係者間との
合意によって決定される。

　まず，その教育機関がどのような目的でどのレベルまでどの位の期
間をかけて日本語教育を行うかが問題になる。大枠が決まった後に，
目的にそって，決められた期間内に目標が達成できるような教授法の
選定，コースの設定，クラスの定員，各コースの授業内容や具体的な
時間割，教材の作成または選定などが日本語教育担当者間で話し合わ
れる。

　事前に学習者の日本語学習の目的，日本語学習歴，学習環境，コー
スに対する希望などについてのアンケートが行われ，その結果に従っ
てコース内容の微調整を行う。

　上例の国際基督教大学の場合は，日本語教育課程発足当初は4年間
で同大学を正規生として卒業する留学生を対象として日本語のみ1年
間学習する「集中コース」及び2年目に2学期間他教科と並行して学
ぶ「上級コース」が設けられた。これは同大学が前記留学生に課する
目的に従って，1年半で日本語で行われる講義を理解し，文献を読む

力の習得を達成目標としていたからである。この目標にそって，教授法及びコース内容が決められ，「集中コース」のための3カ月で口頭による基本的文型の習得及び6カ月で同大学の各学科の授業内容を視野に入れた読解力の養成を目的とする教材が作成された。「上級コース」は，「読解」，「聴解」，「書き方」力養成の3種類に分けて，コース毎に教材を適宜用意することなった。その後，短期間同大学に留学する学生を対象とし，自分の専門のコースと同時にとれる2年間のコースが設けられた。こちらは「聞く」，「話す」に重点がおかれている。現在では，学習者の多様化にしたがって，同大学の留学生に対する教育目標の枠組みを越えたコース内容が設定され，その目的にそった教材が作成されている。

　上記（1‐例3）の英国における夏季研修会は，特に日本語を専攻していない学習者を対象として開かれた。当時の大学では，日本学専攻生を対象とした日本語コースしか設けられていなかったためである。準備は3‐4年前から諸大学の日本語教育関係者が協力して始められた。主催者側は目標，予算，規模，開催場所の決定及び受講者の募集を担当し，日本語教師陣は，目標や期間設定の話し合いに加わり，事前に行われた受講希望者へのアンケート結果を参考にして，教授法やコース内容（シラバス，時間割，進度，研修会を通しての計画等）を決定し，助手を選定した。「使える日本語」を教えるという目標から，VTRを中心とした視聴覚教材を多用する教室活動が計画された。種々の教科書が使われたことは，この種のプログラムに適しており，しかも海外で簡単に入手できる教科書がいかに少ないかを示している。

　2‐例1は基本的文型習得後，できるだけ自然な日本語を話す力をつけることを目的としたコースで，自由会話の話題やきっかけを与える手段としてスライド教材を利用した例である。「会話教材」の読解クラスになる恐れがあるため，書かれた物は一切使用せずに，テープ

とスライドのみを使うことにした。日本の年中行事についての会話を聞かせるが，その中で使用されている語彙や表現，文型にはこだわらず，学習者が使用した言語材料だけに基づいて練習を進めるので，実際には，主題を与えるのみの後行シラバスである。

　コース及びクラスの内容は主としてそのコースやクラスの担当者によって決められる。到達目標を何がどこまでできるようにするのかできるだけ明確にする。最終的な評価方法も内容設定の段階で決めておく。

　個人教授や私的な小グループで教える場合には，学習者との話し合いにより，目的や能力に合わせたコース設定ができる。

第3節　カリキュラムをたてる際の注意事項

　学期毎の進度予定表，クイズやテストの日程は学期の始めに学習者に渡しておく。非常に細かく進度を決めるのは良し悪しである。必ずそれだけのことは終えられるが，学習者がその中に含まれている事項を理解していることを確認してから次に進めるとは限らない。また，教師もそれを知りながら予定されているノルマの消化に追われてしまう恐れがある。しかし，大きなコースを多人数で教えるため，教師間での連絡がとりにくい場合にはこの種の進度表は役に立つ。したがって，コースの始まる前に細かく進度を決定せざるを得ない場合には，一回の学習予定量をやや少なめにするとか，一定期間毎に復習の機会を設けるとか，学習者が学習内容を十分理解し，自分で使えるだけの力をつけるための指導が行えるよう余裕を持ったカリキュラム編成を心がけなければならないだろう。2-3人位の教師が教える小さなコースであれば，最終的な目標を決めておき，そこまでの過程は学習者の反応を見ながら教師間で綿密な連絡をとって進められるような弾力性に富んだ方法をすすめる。コースのレベルが一応設定され，同じような学力の学習者層が対象であっても，クラスの構成員の質は常に

流動的なのでそれに対応できる態勢を整えておく方がよい。

　そのコースでの取り決め事項，成績の算出基準等も前以て書面で学習者に渡しておく。

第4節　教案の作り方

　個々の日本語教師が必ず直接関与するのはクラスの授業内容である。学習事項を理解させ，使えるように定められた時間を有効に使うためには，綿密な授業計画（教案）が必要となる。特に実習や初めて教えるクラスであれば，授業の細目を決めておくことは不可欠である。クラス毎の教案は一度作っておけば後が楽になる。授業後に反省事項を忘れずに記入しておく。経験を積むにつれてじょじょに大まかな授業手順ですむようになるが，マンネリに陥るのを防ぐ意味でも教案を作る習慣を養っておく方がよい。

　種々の型の授業があり，指導計画もそれらの目標にそってたてられるので，特に定められた教案の型があるわけではない。最も標準的な授業構成は，復習－導入－展開－まとめという過程をとるが，これも各課の内容により当然異なる。教案はあくまでもその授業の構成的骨子であって，それを学習者にどう伝えるかにあたって，教師の経験，知識，個性などが生かされる。

　教案には，全体の中で担当授業が占める位置，時間配分，段階毎の目標，具体的な教室活動，使用予定の語彙・表現・文型，使用予定教材などを含める。

　作成にあたっての一般的注意事項としては次のようなことがあげられる。

　（1）　1分間にどのくらいのことが実際にできるかを前以て把握しておく。

　　　　時間配分は授業の大きな要素である。ことに一定期間進度が定められている場合には，与えられた時間内に理解から定着ま

でをいかに効果的に行うかが鍵になる。

（2）教師が話しすぎない。その時間を学習者の活動のために使う。

（3）既習及び学習者が知っている語彙や表現をはっきりとつかん
　　でおく。

（4）使用予定の基本的な語彙，表現，文型を書き出す。

　　　　「自然法」に見られるように，教師が理解可能と思われる語
　　彙や表現をできるだけ多く聞かせるという教授法もあるが，教
　　師の言ったささいな表現が理解できずにそれから先のことが全
　　く分からなくなる，または分かろうとしない学習者は非常に多
　　い。時間を有効に使用すると同時に無用のつまずきを防ぐ意味
　　でも教師はしゃべりすぎないほうがいい。

（5）常に学習者の注意を喚起するように，授業の流れを重視する
　　と共に，意外性をもたせる。

　　　　教科書にそった授業をする場合でも，教科書に提示されてい
　　る順序を必ずしも守る必要はない。クラスで行いやすい事項，
　　学習者が最も興味をもっている事項，時の話題などから入る。
　　次の学習事項への移行はできるだけその前の事項と関連をもた
　　せる。

（6）導入にあたっては，どこの国の学習者にも分かるような普遍
　　性のある事項，学習者が興味を持っていると思われる事項を選
　　ぶ。

（7）使用予定教材は必然性のある物を選ぶ。

　　　　　　例：文字カードを使用するか，絵カードを使用するか。
　　　　　　なぜか。

（8）文化的事項と言語的事項とは明確に区別する。

　　　　日本語の「スキルコース」はあくまでも「言葉」を教えるク
　　ラスである。その課の目標にそって最も普遍性があり，「言葉
　　を使う上で」，また，言語的にみて最も理解しやすく，且つ最

も必要と思われる語彙や表現を使用する。そのためには常に語感をみがいておく。

第5節　コース評価

　日本語教育では，学期末または学年末に学習者によるコース評価がアンケート形式で極く普通に行われている。この結果はコースの改良に役に立つ。むしろ，この結果をどう役立てているかによって，その教育機関の日本語教育に対する姿勢が分かると言ってもよいだろう。

　集中コースでは，毎日日本語ばかり学習することに対する心理的負担に耐えられなくなる学習者が必ず出ると言っても過言ではない。この負担がコース終了時に「批判」の形をとることもある。

　学習者が社会に出て日本語を実際に使うようになって，または帰国してから，初めてコース修了時には分からなかったコースの価値に気づく場合が多いので，コース修了後数年経ってからの評価の方が貴重なのだが，そこまでの追跡調査は難しい。

参考文献
　（1）　石田敏子（1986）「視聴覚教材を利用した授業設計」,『講座日本語教育』第22分冊，早稲田大学語学教育研究所，pp.1-13.
　（2）　金田道和編（1986）『英語の授業分析』，大修館書店.
　（3）　田中望（1988）『日本語教育の方法——コース・デザインの実際——』，大修館書店.
　（4）　日本語教育学会編（1991）『日本語教育機関におけるコース・デザイン』，凡人社.

第13章　聴解の指導

第1節　聴解と読解

　聴解は自分の守備範囲を越える領域に直面させられるので，ある程度話せる者にとっても難しい。話し手が目の前にいる対話であれば，話し手の表情，身振り等の聴覚以外の補助手段があるし，聞き返したり，話を中断したりすることができる。また，聞き手の反応を話し手に伝えて話し手のペースを聞き手の理解度に合わせてもらうこともできる。しかし，講義や講演のように，ある話し手が多数を相手に自分のペースで話すのを聞き取るのは難しい。また，1対1であっても，電話のように話し手が見えない場合には難しい。一方，読解は未習の分野を含んでいても，聴解よりは，困難を感じなくてもすむ。では，聴解と読解とにはどのような差があるだろうか。

読解	聴解
1．文字が紙面上に固定されているので，繰り返し読むことができる。	1．音声は瞬時に消える。録音しない限り，繰り返し聞くことはできない。
2．同時に部分的比較が可能である。	2．部分的比較はしにくい。
3．書き言葉を使用。	3．話し言葉を使用。縮約形が使われる。
4．句読点によって文の切れ目が明示される。	4．句読点がなく，文の構造も聞きとらねばならない。

5．漢字の知識があれば，漢字の助けによって意味がとれる。

6．文体はデス・マス体かデアル体かでかなりきまっている。

5．母語の音韻体系の干渉を受ける。

6．音の聞き分け力の個人差が大きい。

7．種々の変形された文が多い。

8．同音異義語を聞き分けねばならない。

9．方言やなまり，話し方のスピードといった話し手の持つ要素が聞き取りに影響を与える。

　読むもの，特に印刷された物は，日本人を対象にした物であっても，編集の段階で何人かが目を通しており，誤りの訂正や文を整えるなど，一応読みやすいように手が加えられてある。これに反して，聞くものは，講義や放送のようにある程度聞きやすさを考慮した物のなかにも，例えば，座談会のように整わない形のままの文が含まれており，聞き取りを難しくする要素に富んでいる。

第2節　聴解上の問題点

　外国人学習者にとってどのような点が聴解を困難にしているのだろうか。次にあげるのは，どのような教材がやさしいかという教材選択の基準を示すことを目的としてまとめた聴解上の一般的な問題点である。

1．音声的な問題点

　　　母音の長短の聞き分け

　　　母音の無声化の聞き取り

　　　清濁の聞き分け

　　　促音の有無の聞き取り

　　　連続する母音の聞き取り

2．語彙・表現に関わる問題点

　　　語彙の知識の有無

　　　外来語

　　　固有名詞

　　　同音異義語

　　　方言

　　　慣用句

3．構文に関わる問題点

　　　長い文

　　　主語の省略

　　　変形された文（倒置，挿入句等のいわゆる崩れた文)

　　　間接話法

　　　呼応表現。前以て文末を予告する手掛かりがつかみにくい。

　　　縮約された文（しちゃった，すりゃ，しなきゃあetc.)

4．語用に関わる問題点

　　　フィラー（えー，あのう，まあetc.)

　　　本来の意味を離れた機能を担う語彙

　　　あいづち

　　　日本的発想に基づく表現

5．話し手に関わる問題点

　　　話し方のスピード

　　　発音特に母音の発音の明瞭さ

　　　声のトーン。大人が子供の声を出すといった作り声は聞き取

　　　　　りにくい。

　　　間のとり方

　　　なまりの有無

　　　　個人的な癖
　6．その他の問題点
　　　　全体の構成　　　　　筋が簡単か。回想場面等の取り扱い方。
　　　　主題　　　　　　　　興味をひくか。明確か。言語以外の知
　　　　　　　　　　　　　　識が必要か。
　　　　時間（長さ）　　　　疲労を誘わないか。
　　　　視覚的補助の有無　　画面と音声の内容は一致しているか。
　　　　　　　　　　　　　　（TVの場合）
　　　　慣れ　　　　　　　　既習の物を実際の生活場面で使った経
　　　　　　　　　　　　　　験があるか。

第3節　聴解指導の方法
　聴解に必要な技能としては，次のようなものがあげられる。

（1）音の識別力
（2）単語等構成要素の識別力
（3）聞き取った音を既知の語句に結び付け，その意味を理解する
　　　力。特に未知の語の意味を前後の文脈から類推する力
（4）文法的意味を理解する力
（5）要旨を把握する力
　　　　　段落毎の要旨の把握
　　　　　次の段落への流れを予見
（6）聞きながらメモをとる力

　このような力の育成が聴解指導の目的となる。しかし，聴解力に関
わる要素はなんであるか，聴解力はどのようにして育っていくか，他
の技能とはどのような関係にあるか等，理論的にはいろいろ言われて
いるものの，そのメカニックはまだ実証的には解明されておらず，指
導の方法にしても音声教材の与え方，他教材との効果的併用等は今後

解決すべき問題である。

　現在までに得られた研究結果では，音の聞き取りはかなりやさしいのに反し，意味の把握は初級レベルの文型でも難しいようである。特に文末の音を捉える傾向が見られる。したがって，語彙の知識の有無が聴解にはかなり影響していると思われる。中級レベルの平仮名による書き取り練習を筆者が観察してきたところでは，聞き取った音を既習の語彙に照らしあわせ，うまく一致した場合はその語を書き，一致しない場合にはその語と音のよく似た既習の語に無理に当てはめる傾向が見られる。漢字系学習者は，音の聞き取りは間違えていても，漢字を当てはめさせると正しい漢語を書く。この点から漢字の知識が聞き取り力を支えていることが窺える。現在までに行われた音声関係の研究は発音の問題に偏っており，聴解を中心とした実証的研究が望まれる。最近では，アクセント，イントネーションの研究及び教育が注目されるようになった。

　語用の観点から，「対話」についての研究は行われるようになってきたが，講義のような「独話」に関する研究は極めて少ない。

　ここでは，一般的に用いられている指導法を紹介する。

1. ミニマル・ペアの利用

　ミニマル・ペア（一点のみが異なる一組の言葉）は発音練習のみならず音の識別の練習にも使える。ペアになった音を聞かせてその差を言わせたり，対立する語を 3 - 4 語組合わせて口頭で与えて他の 2 または 3 語とは異なる語を選ばせたり，同じ語を選ばせたりする。練習が単調になりがちなのと，実際のコミュニケーションでは，単語のみ識別しなければならない場合はあまり多くはないので，対立する差のあることが一通り分かればよいであろう。ミニマル・ペアの語を文中に入れて識別させる方が自然な練習ができる。音の識別には母語の影響が強く現れるので，母語別に問題のある対立を選んでテープを用意

し，自習させるとよい。

２．視聴覚教材の利用

ａ．VTR

日本語教育用VTR教材（後述）やテレビ番組を収録した物，自作VTR等，VTRは聴解用教材として活用されている。特にきまったVTRの見せ方といったようなものはないが，最も一般的な授業形態を紹介する。

（１）教材の選択

日本語教育用VTRを使用する時には，VTRに付属して用意されている手引書を参考にして学習者のレベルにあった教材を選ぶことができる。テレビ番組のVTRを選ぶ場合には，前述した聴解上の問題点が参考になるであろう。

１時限中（60分）に聴解させるVTR教材の長さは５－10分程度が最も適している。これを目安にして，何時限で全部視聴し終えるかを計算する。いかに面白い番組でもあまりに長い間だらだらと使っていると，学習者の飽きを誘う。

（２）使用の手順

①導入

テレビ番組を使用するのであれば，内容に応じて，その背景となるものを説明しておく。視聴に不可欠な固有名詞，述語等はこの時に理解させておく。学習者のレベルによっては，単語表を前以て与えておき，予習させるのもよい。

②視聴

日本語の授業である以上，見せっぱなしにせず，教材を十二分に活用したい。まず，導入（10分）の後，その日に視聴する予定の部分を視聴する（10分）。次に解説を加えながら，数カットずつ視聴する（30分）。この時に，単語表が利用できる。

　木村宗男（1982）は単語表の例を示しているが，平仮名，漢字で語句を示し残りは余白のまま残して，学習者自身がメモを書き込むようになっている。しかし，単語表のクラスでの使用は必ずしもプラスの面ばかりではない。単語表の方に心を奪われ，肝心のVTRその物を見るのがおろそかになりがちだからである。解説も一方的にならないよう質疑応答の形で行う。最後にもう一度視聴する（10分）。

③展開

　視聴後，次のようなクラス活動が可能である。

　　（a）必要と思われる文型や表現を指定し，必要な練習を適宜加える。

　　（b）VTRの音声を消し，画面のみを利用して，学習者に画面の説明を口頭でさせる。前のクラスで視聴した部分の復習として行うとよい。

　　（c）書き取り練習を行う。

　　（d）書き取りの応用として，VTRの音声部分の一部を文字化し，そのうちの何語かを抜いておき，VTR視聴後，記入させる。この方法だと採点が楽にできる。

　　（e）内容について自由会話を行う。作文を書かせる。

　　（f）理解を確認するため，要約を書かせる。

　　（g）シナリオを利用して漢字の学習を行う。

b．テープ

（1）短い会話や文の聞き取り

　短い会話を聞かせて，内容を聞き取らせる。細部にはこだわらず，全体の主旨が聞き取れたかどうかを確認する。自作であれば，音声的に聞き取りの難しいもの，意味的に難しいものなどなど，要点を押さえた教材を用意する。駅や電話のメッセージのように，学習者が日常耳にする可能性の高いもの，危険を知らせる語彙や表現も聞き取れる

ようにしておかなければならない。

（2）長文の聞き取り

　テープ教材は，手軽に利用できるという利点はあるが，視覚的要素がなくなり，聴解のみに頼らねばならないので，VTR教材よりも内容の理解は難しい。同じ理由から練習が単調になりがちなので，あまり長い時間利用するのは学習意欲を低下させる恐れがある。VTR教材との併用や自宅学習用に使用する例も多い。上記のVTR教材と類似の使用法の他に，VTR聴解後，VTR教材の音声部分のみをテープに録音しLLで自習させ，適宜教師が質問に答え，その後に理解を確認しながらVTRを再視聴させるといった方法もある。

　語学ラボラトリーが利用できるのであれば，クラスを幾つかのグループに分け（語学ラボラトリーで一度に流せるテープ教材の数によって分ける），それぞれ異なるテープを聞かせる。その後に各グループ毎に自分たちの聞いたテープの内容を報告させ，互いに質疑応答させる。このようにゲームの形式をとると楽しみながらクラスが進められる。

ｃ．書き取り練習

　聴解力育成のためには，書き取り練習を行うのが最も効果があるという説もある。教師が学習者の書き取るペースに合わせて簡単な文を読むレベルから，ニュース番組の書き取りに至るまで，易から難へじょじょに段階を上げていく。話し手のスピードの他に，一回に書き取らせる語句の長さも難しさの要素となる。これも，じょじょに長くしていく。回数を重ねるにつれて，かなり長い語句が一回で聞き取れるようになる。漢字系学習者の場合には，まず，全文平仮名で書き取らせることをすすめる。漢字を媒介にして聞き取っていることは，意味を理解しているわけなので，差し支えないのであるが，この方法であれば，漢語の正しい発音を理解させると同時に音声に対する関心を

高めることができる。また，同じクラスにいる非漢字系の学習者が漢字の知識が少ないために劣等感を持つことがなくなる。平仮名のみの書き取りとなると，かえって非漢字系学習者の方が正確な場合が多い。

　書き取り後，できるだけ早く正解を与え，自分の誤りに気づかせることが肝要である。プリントやOHPで与えてもよいし，何人かの学習者に黒板に書き取らせ，それを訂正して正解を示すこともできる。黒板の前に出て書くことを喜ぶ学習者は意外に多いし，誤りを恐れず，積極的に学習に参加するようクラスの雰囲気を保つような教師側の努力も必要である。

参考文献
（1）木村宗男（1982）『日本語教授法』，凡人社．
（2）佐久間勝彦（1979）「テレビ・ドラマ使用による上級日本語教科書
　　　編集の試み」，『日本語教育』39号，pp.101-122．
（3）土岐哲，村田水恵（1989）『発音・聴解』，荒竹出版．
（4）「特集：聴解の指導」，『日本語教育』64号（1988）．

第14章　話し方の指導

第1節　会話の指導

　会話には，初級レベルでの文型や語彙を限定した会話と或る主題について自由に学習者が参加する会話とがある。一般に前者はコントロールされた会話，後者は自由会話と呼ばれている。その他に，特定の場面や役割を与えられて会話を行うロール・プレイも1種の自由会話練習である。

Ⅰ．コントロールされた会話

　初級日本語教科書の各課には普通「会話」部分が設けられている。これは，その課で学習する文型や表現を中心として作られている。

例1：次の会話は『Situational Functional Japanese』の第1課に収められている。原文は漢字仮名交じり文で，場面，登場人物，会話の流れなどの解説と語句の英訳が添えられている。この会話に基づいて，構文練習，会話練習，タスクなどが行われる。

　　　木村：ああ，山下くん。ちょっと。

　　　山下：はい。あ，先生こんにちは。

　　　木村：こんにちは。

　　　- -

　　　木村：山下くん，こちら，インドのアニル・シャルマさん。

　シャルマ：はじめまして。アニル・シャルマです。

　　　山下：あ，どうも。

　　　　木村：シャルマさん，うちの研究室の山下くんです。

　　　　山下：山下です。どうぞよろしく。

　シャルマ：どうぞよろしく。

　　　　山下：ええと，アニ...。

　シャルマ：アニル・シャルマです。シャルマと呼んで下さい。

　　　　山下：あ，じゃ，シャルマさん。あの，お国は。

　シャルマ：インドです。

　　　　山下：そうですか。ご専門は。

　シャルマ：コンピュータです。

　　　　山下：ああ，ぼくもコンピュータなんですよ。

　シャルマ：そうですか。よろしくお願いします。

　　　　山下：こちらこそ，よろしく。

　　　　山下：それじゃ，シャルマさん，また。

　シャルマ：はい，じゃ，失礼します。

　　　（筑波ランゲージグループ，1991，『Situational Functional Japanese』，凡人社）

例2：『長沼　新現代日本語Ⅰ』第1課の会話。漢字かな交じり文で書かれ，先に提示される基本文型の応用表現として各課の基幹的部分となっている。

　ハリス　「ハリスです。」

　ソン　　「ソンです。」

　ハリス　「どうぞ　よろしく」

　ソン　　「どうぞ　よろしく」

　ハリス　「ハリスです。　はじめまして。」

ソン　　「はじめまして。　ソンです。　どうぞ　よろしく。」

ハリス　「どうぞ　よろしく。　ソンさんは　ちゅうごくの　かた
　　　　　ですか。」

ソン　　「そうです。　ハリスさんは　アメリカの　かたですか,
　　　　　カナダの　かたですか。」

ハリス　「アメリカじんです。」

　　　　（『長沼　現代日本語Ⅰ』, 1989, 言語文化研究所附属東京日本
　　　　語学校, p.14）

　表記法はいろいろ異なるが, だいたいどの教科書でも第１課にはこ
れと類似の会話が提示されている。

　授業の流れの中で, 会話の練習をどこに位置づけるかによって, 練
習方法も異なる。教科書の会話部分を新しい課の冒頭から読ませて,
練習に入るのは,「会話」の形の文を使用した読解指導にほかならな
い。

　一般的には, その課の学習項目の口頭による提示, それらの項目を
中心としたいくつかの対話練習を「会話」部分に含まれた表現をまじ
えながら積み重ね, 大体言えるようになった段階で, 教科書の「会
話」練習に入る。この過程でコミュニカティブ方式の練習方法は参考
になる。「会話」部分は, 会話の流れの中でしか提示できない表現も
あるので, その課の学習事項の典型的な使用例として, 提示と同時に
まとめとしての役割を担っている。

　このレベルでの会話練習には語句の発音練習も含まれる。最も一般
的な練習方法は, まず, 会話全体のモデルをテープ等で聞かせる。訳
が添えられていない場合は意味の理解を確認する。次に, 各パートを
モデルの後について言う。全体が言えるようになったら, パート
（例：山下）を決めてモデルと対話をする。パートを代えて（例：木
村, シャルマ）前回と同様にモデルと対話をする。最後にもう一度モ

デルを聞く。自由に言えるようになった段階で今度は学習者同士で各パートを受け持ち，同じような会話を学習者の出身国，職業に基づいて適宜変化を加えて行う。相手の名前が一度では聞き取れないこともあるであろうし，面白い性格の学習者であれば，自分の言いたいことを付け加える者もいるかもしれない。この段階で重要なのは，モデルをそのまま真似ることではない。新しく学習した文型をできるだけ多く使わせることが望ましいが，「これは何ですか」の代わりに「これは？」といった言い方もできること（但し，レベルを変えない範囲内で）も教え，既習の文型や語彙を駆使してコミュニケーションを行うことが練習の目的であることを前以て学習者に徹底させておく。新しい語句はなるべく増やさない方がよいが，同じような場面で学習者が特によく使用する可能性のある語彙は紹介し，使わせる（例　職業名）。

　最も重要なのは，教師がしゃべりすぎないこと，学習者が間違えを恐れないような雰囲気をつくることである。話す機会をできるだけ多くの学習者に万遍なく与えるようにする。訂正も学習意欲が減退しない程度に行う。

　日本にいる学習者は日常生活ではこれよりかなりくだけたレベルの会話を耳にするはずである。男性間，女性間のややくだけたレベルに直した同じ内容の会話のテープを用意して聞かせれば，日常会話を理解するのに役立つ。しかし，このレベルでは練習させる必要はない。前述したように，まず最初に，最も普遍的な言い方を教えておかねばならないし，どのような場合にどの程度までくだけた言い方が許されるかをまだわきまえていないからである。

　終助詞のイントネーションやあいづち，いわゆるフィラー（会話中に現れる「あのー」，「えー」など）の類は不自然になりがちなので，学習者が日本語を十分に聞き，自分で取り入れられるようになる段階まで待つほうがよい。

2. 自由会話

　初級後半または中級レベルになると，既習の語彙や文型を使用して自分の言いたいことがかなり自由に言えるようになる。この段階では，学習者の興味をひくような話題を選んで自由に話させ，その中から，必要に応じて練習項目を引き出し，応用力をつけていく。

　全員が話すことに注意を集中しているのであれば，誤りの訂正は最低限にとどめて自由に話させればよく，必ずしも練習を行う必要はない。しかし，クラスの全員を積極的に会話に参加させるのは経験を積んだ教師であっても容易なことではない。事前に共通の話題を作り下準備をしておく必要がある。自由会話を効果的に行う方法としては，いろいろ考えられるが，重要なのは，学習者全員に万遍なく話させることである。そのための方策としては，次のような例があげられる。

1. 同じ読解教材を与えて読ませ，その内容，主題，読後感等について話させる。講読のクラスとうまく連絡しあって行えば，無駄のない学習が行える。内容は穏当なものよりも，やや過激なまたは偏った主張を述べているものの方が学習者を刺激し積極的参加が見込まれる。

2. 幾つかのグループに分け，グループ毎に異なる読解教材を与えて読ませ，互いにその内容を報告させる。その内容について，一人一問は必ず聞かねばならないというような規則を設けておく。

3. 一連の視覚教材を見せ，共通の経験を与えておき，そのなかから自分たちで話題をみつけながら話していく。黙って視覚教材を見せていくうちに，学習者の方でいろいろ話しだす。頃合いを見て，視覚教材の説明をするなり，会話へ導くなりする。視覚教材は話させたい主題とうまく関連づけ，話題を呼び起こしそうなものを選んでおく。

　　4．日本語教育用スライド（パネル）で会話テープつきのもの
　　　が用意されている。これを事前に視聴させてから，自分たち
　　　の話したいスライド（パネル）を選ばせてそれを見ながら会
　　　話をさせると，先に聞いたテープの会話と類似の会話を自分
　　　たちの表現を使って行うことができる。

　　5．特定の主題を与えてそれについて各学習者に 1–2 分の話
　　　をさせる。これだけで終わりにすると，1 人が話している間
　　　遊んでしまう学習者が必ず出る。クラス内の学習者数にもよ
　　　るが，2 人が話したあと，その話について他の学習者全員が
　　　話し手に 1 問ずつ質問することにしておくと，クラス全体に
　　　話題を広げることができるし，話もよく聞く。

　　6．VTR教材を 1–2 分見せ，同じ部分を次には音を消して見
　　　せ，解説を加えさせる。まとまった内容を日本人に近い速度
　　　で話すための練習になる。

　このように話題に対する関心を常にクラス全員に持たせておき，全
員を会話に参加させるようにする配慮が必要である。
　　新しい外国語教育理論を取り入れた外国語教育用教材にはこの種の
練習方法例がのせられているので，他言語の教材からもヒントを得る
ことができる。

3．ロールプレイ

　ある特定の場面，条件，役割を各自に与えて会話をさせる方法で，
種々の小道具を揃える必要がある。例えば二人の学習者に八百屋と客
の役を与え，前者にはある野菜を最も高く売る，後者には最も安く買
うという条件で会話を行わせる。どういうことを話し合わなければな
らないかについての指示を書いた役割カードを持たせる練習方法もあ
る。
　　また，学習者自身にスキットのようなものを作らせ，自作自演させ

てもよい。

第2節　スピーチ，口頭発表 etc.の指導

　近年，外国人の日本語スピーチ・コンテストが盛んに行われている
が，権威のあるコンテストでは，日本語の正しさのみでなく，スピー
チとしてよくできているかどうかが問われる。上級レベルになると，
多人数の人々の前でもきちんした話ができるような訓練が求められ
る。また，大学であれば，ゼミや学会などでの口頭発表ができなけれ
ばならない。前述した1-2分のスピーチと同じような方法で自分の
専攻分野に関する10-15分程度のスピーチをさせ，その内容について
説明や質疑応答させるような練習が必要である。

参考文献
　（1）石田敏子（1986）「視聴覚教材を利用した授業設計」，『講座日本語
　　　教育』第22分冊，早稲田大学語学教育研究所，pp.1-13.
　（2）杉藤美代子編（1989,90）『講座日本語と日本語教育』2,3「日本語
　　　の音声・音韻　上・下」，明治書院.
　（3）土岐哲，村田水恵（1989）『発音・聴解』，荒竹出版.

第15章　読解の指導

第1節　初級レベルの読解指導

　口頭練習を重視した教科書であっても，文字の導入のために，また，話し言葉と書き言葉の差を教えるために，初級のかなり早い段階で，各課毎に「読み方」練習用の部分を含むものが多い。

　『Communication Japanese Style Ⅰ』では，11課から「よみ」が導入されている（例1）。この課では過去形を学習する。

例1：会話部分　　（月曜日に）

　クラーク：きのう　えいがを　見ました。

　おおた　：日本の　えいがですか。

　クラーク：ええ。

　おおた　：おもしろかったですか。

　クラーク：ええ，とても　おもしろかったですよ。

　おおた　：それは　よかったですね。　日曜日に　よく　えいがを
　　　　　　見ますか。

　クラーク：ええ，よく　見ます。　おおたさんは　きのう　どこへ
　　　　　　行きましたか。

　おおた　：わたしは　でかけませんでした。　うちで　ともだちに
　　　　　　てがみを　かきました。　それから，ごご　三時間ぐら
　　　　　　い　本を　よみました。

　クラーク：そうですか。　おおたさんの　かいしゃは　土曜日も

　　　　　　やすみですか。

　おおた　：こんしゅうは　やすみですが，せんしゅうは　やすみ
　　　　　　じゃ　ありませんでした。　ですから，かいしゃへ　行
　　　　　　きました。

　クラーク：そうですか。　いそがしかったですか。

　おおた　：いいえ，あまり　いそがしく　なかったです。

「よみ」

　　わたしは　えいがが　すきです。　ですから，日曜日に　よく
えいがを　見ます。　きのうも渋谷駅の　ちかくの　えいがかんで
日本の　えいがを　見ました。　えいがは一時半から　四時まででした。　ながかったですが　とても　おもしろかったです。

　　おおたさんは　わたしの　ともだちで　ぼうえきがいしゃの
しゃいんです。　その　かいしゃは　外国へ　いろいろの　ものを
うります。　それから，外国から　いろいろの　ものを　かいます。　日曜日は　まいしゅう　やすみですが，土曜日は　まいしゅ
う　やすみじゃありません。　きのう　おおたさんは，ごぜんは
イギリスの　ともだちに　てがみを　かきました。　ごごは　日本
語の　本を　三時間ぐらい　よみました。

　　（『Communication Japanese Style Ⅰ』，言語文化研究所附属
　　東京日本語学校，1987，pp.33-35）

　例2（次頁）は『Japanese for Today』第5課の「読み方」練習
部分である。この課では，動詞の過去形，もう，まだ，めったになど
の副詞，助詞のニ，デ，ヲを主に学習する。

　この教科書の「読み方」練習部分は，既習の文型を中心にして，内
容のあるものを読みこなす力をつけることを目的としているが，同時
に日本の歴史，地理，社会等，日本文化について学びながら，学習者
の専門分野の語彙を増やすこともねらっている。したがってこの部分

例 2 ：（*Japanese for Today*，学研，1973，　p.68）

~~~~~~

日　本

日本は　島国[1] です。おもな[2] 島は　北海道[3]と，本州[4]と，四国[5]と，九州です。　その　ほか　小さい[6] 島が　たくさん　あります。大きさ[7]は　だいたい[8] 370,000km²（三十七万平方[9] キロメートル）[10] です。これは　インドの　$\frac{1}{9}$（九分[11]の一[12]），アメリカ[13]の　$\frac{1}{25}$（二十五分の一），ソ連の$\frac{1}{60}$（六十分[14]の一）です。しかし，人口[15]は　多いです。だいたい　100,000,000人（一億人[16]）います。人口密度[17]は　1km²に　280人（二百八十人）ぐらいです。

全体[18]に　山が　多いです。火山[19]も　たくさんあります。そして，平野[20]が　少ない[21]です。長い川[22]も　あまり　ありません。

北海道では，冬[23] 雪[24]が　降り[25]ます。しかし，九州では，めったに　雪が　降りません。

六月には　よく　雨[26]が　降ります。夏[27]には　いつも　台風[28]が来[29]ます。春，さくらが　さき[30]ます。たいへん　きれいです。秋[31]のもみじ[32]も　美しい[33]です。

~~~~~~

で始めて提示される語句はかなり多い。新出語句及び全文に英訳が付いている。

　初級レベルの読解では，漢字や表記の学習を行うと同時に話し言葉と書き言葉の差に注意させる。特に接続詞の使い方の差を教えておかないと，作文指導の段階で苦労することになる。文意をとることも重要であるが，このレベルでは，書く力の育成につながることを前提と

した指導もおろそかにできない。各課の学習の最終段階にあること，かなりまとまった内容があることから，読解が一応できたところで，その課の総復習のためにこの部分を使うこともできる。例2のような場合は，この部分の新出語句の取り扱いをどうするか（読みながすのか，覚えることを要求するのかetc.）が問題になる。専門が全く違う学習者にとっては（例えば理科系）興味もなく，特に必要でないものが含まれる可能性もあるからである。学習者の専門分野が同じであれば，例2のように既習文型を中心とし，その分野の語彙を用いた「読み方」教材をこの部分だけ差しかえて使用することも可能である。

第2節　中級・上級レベルの読解指導

　この段階になると，日本語教育用に特別に書かれたものではなくて日本人対象に書かれたいわゆる「生教材」が導入される。初級後半から上級にかけての学習者がこのような教材の読解にさいして困難を感じるのは，次のような事項である。

（1）個有名詞や外来語。

（2）複雑な構造の長文。

（3）修飾語と被修飾語の関係。

（4）これ，それ，あれ等の指示語が具体的には何をさすか。

（5）主語（主題，目的語）はどれか。

（6）文化的背景を欠く事項。

（7）思考方法，発想の相違。

（8）擬態語。

（9）語句の省略。

（10）文の欠落（教科書に採用する際に時々行われる原文の省略）。

（11）文と文の間に説明が省略されているもの（文学作品に多い表現）。

(12) 文のねじれ，主語の欠落等いわゆる悪文。

例 1 ：……江戸と言っていた頃に山であったところで，今はもう木が
　　　　一本もなくなってしまったところも少なくありません。
　　　　(H.ヒベット・板坂元『日本現代文読本』，Harvard Univ.
　　　　Press, 1965, p.9-10)

　欧米で使われている中級教科書の中の一節であるが，欧米，特にア
メリカの山には必ずしも木があるとは限らない。したがって，「山で
あったところ」と「木」との関連を理解させるためには，日本人の
「山には木がある」という観念を説明する必要がある。日本人にとっ
ては何でもない文なので初めてこの課を教えたときには，学生が何が
理解できないのか分からなかった。

例 2 ：……お母さんの言うことをよく聞いて，しっかり勉強して下さ
　　　　い。お父さんは明日ここを発ってにゅーよーくの学会に行きま
　　　　す。あちらから又書きます。では又。
　　　　十二月七日
　　　　　よし子様

　　　　　　　　　　　　　　　　　　　　　　　　　　父より
　　　　　　　　　　　　　　　　　　　(『日本現代文読本』，p.27)

　父から娘にあてた手紙の一部である。日本語では「私」の代わりに
自分の名や親族名称を使用することもある点を説明しないと，「お父
さん」というのがだれなのか理解できない。

例 3 ：……あくる日，九日。原子爆弾が私たちの上で破裂した。私は
　　　　傷ついた。ちらっと妻の顔がちらついた。傷つきながらも，私
　　　　らは患者の救護に忙しかった。三日目。夕方私は家へ帰った。
　　　　ただ一面の焼け灰だった。私はすぐに見付けた，台所の跡に黒

いかたまりを。そばに十字架のついたロザリオの鎖が残ってい
た。焼けバケツに妻を拾って入れた。まだぬくかった。私はそ
れを胸に抱いて墓へ行った。あたりの人はみな死に絶えて，夕
日の照らす灰の上に同じような黒い骨が点々と見えていた。私
の骨を近いうちに妻が抱いて行く予定であったのに——運命は
分からぬものだ。私の腕の中で妻がかさかさと音を立てた。私
はそれを「御免ネ，御免ネ。」と言っているのだと聞いた。

（『Modern Japanese for University Students』，Part II，国際
基督教大学，p.81）

　永井隆の『ロザリオの鎖』（ロマンス社）の一節で，教師のほう
は，この部分で涙ぐむ。しかし，学習者のなかには，なぜ「御免ネ」
なのか分からず，むしろ気持ちが悪いという反応を見せる者も見られ
る。アメリカ人の女子学生に多い。この前の部分には，永井博士が自
分は重い病気にかかっており，もう長くは生きられないことを妻に告
げる箇所がある。病気の夫を残して先立つことに対する妻の気持ちに
ついて説明をしてもなかなか理解するのは難しいらしい。これに反し
てアジアからの学習者は概して著者に共感を抱く。このように相反す
る反応が得られたり，男女間または夫婦間の愛情に関する議論を必ず
巻き起こすので，この教材は会話や作文クラスへの導入がしやすい。
教師の側にも「御免ネ」という気持ちが理解できない世代が育ってき
ている。

例４：……夫から清はおれがうちでも持って独立したら，一所になる
　　　気で居た。どうか置いて下さいと何遍も繰り返して頼んだ。お
　　　れも何だかうちが持てる様な気がして，うん置いてやると返事
　　　丈はして置いた。所が此女は中々想像の強い女で，あなたはど
　　　こが御好き，麹町ですか麻布ですか，御庭へぶらんこを御こし
　　　らえ遊ばせ，西洋間は一つで沢山ですなどと勝手な計画を独り

で並べて居た。其の時は家なんか欲しくも何ともなかった。西
洋館も日本建も全く不用であったから，そんなものは欲しくな
いと，いつでも清に答えた。すると，あなたは欲がすくなくっ
て，心が奇麗だと云って又賞めた。清は何と云っても賞めてく
れる。

（『Modern Japanese for University Students』Part III, p.94）

　『坊っちゃん』の一節である。語句の意味だけではなく，麹町，麻
布がどんなところであるか，この時代の西洋間がどう使われていた
か，「うち」と「家」の漢字の使い分け，「遊ばせ」の持つ意味合いを
説明しなければならない。

例 5 ：……電話の声は今里だった。
　　　大学時代からの友達で，かれこれ四十年のつきあいになる。宅
　　　次が倒れたとき，厚子に一番先に電話をかけさせたのも今里
　　　だった。(1)
　　　　「言いたいこと(2)あったら，おれ，(3)　代わりに言ってやるぞ」
　　　もともと時候の挨拶などするつきあい(4)ではないが，それに(11)
　　　しても唐突だった。
　　　　「お前，(5)　本当にいいのか」
　　　ひと呼吸あって，
　　　　「それ(9)だけは嫌だっていってたからさ。(6)　本当にいいのか
　　　　と思ってね。まあ，こうなったら，(10)　仕方ないよなあ」
　　　一体なんのはなしだといつめる(7)と，今度は今里がうろたえ
　　　た。
　　　　「お前，知らないのか」
　　　厚子の発案で，宅次の今後のことを，相談する集まりにこれか
　　　らでかける(8)ところだという。
　　　（向田邦子『想い出トランプ』，新潮文庫　1983, p.19）

（1）の電話をかけたのはだれか，だれにかけたのか，（2）はだれが
言いたいのか，（3）の「おれ」とはだれのことなのか，（4）はどんな
つきあいなのか，（5）の「お前」とはだれか，（6）はだれが言ってい
たのか，（7）だれが問いつめたのか，（8）はだれが出掛けるのか，
（9），（10）の「それ」,「こうなったら」は具体的にはどういうことか
（この部分のみでは分からないが，この原文をここまで読んできたら，
当然分かっていなければならない。）等が難しい点で，これらの事項
をしっかりおさえる必要がある。また，（9）の「それ」と（11）の「そ
れ」との相違も説明する。外国人学習者は「形」を手掛かりとするの
で，同じ形をとっても意味や使い方が異なるときには，説明しておか
ないと，同じ物と考えてしまうことがある。

例6：「しかし不運にして負けた場合でも，僕はナインが全力をふりし
　　　ぼって負けたのだったら決して責苦すべきではない。」(p.36)
　　　「厚生省が東京新宿鉄道病院を調べたら一点四円の低料金の秘
　　　密は衣料施設の全部と人件費のほとんどを国鉄経費でまかなっ
　　　ていた。」(p.117)

　これは岩淵悦太郎編著『悪文』の中に紹介されている文である。初
級レベルでは，外国人学習者を対象にした「書き下ろし文」が読解教
材として使われるので，悪文に悩まされることはまずないが，どうし
てこれで日本人読者には理解できるのだろうと不思議に思われるよう
な悪文はザラにある。上級に進むにつれて，生教材を使用するように
なると，このような文に度々ぶつかることになる。
　非漢字系学習者にとっては，漢字の知識が読解上の核となるので，
読解に入る前に，その教材に含まれる漢字の読み方と意味を教えてお
く方がよい。漢字の読み方が分からないと総画数で漢和辞典をひかね
ばならず，一字の意味が分かるまでにかなりの時間と手間がかかる。
この点を考慮し，次のクラスで学習予定の読解部分を先に音読して聞

かせておくだけでも予習の一助になる。音読したテープを用意し貸し
出しすれば自宅で聞きながら予習ができる。漢字系学習者の場合に
は，日本語の漢字の読み方を正しく覚えさせないと，いつまでも自国
語の漢字に頼る癖が抜けず，そのために意味を取り違えることが起こ
る。

　以上のような理由から，読解は，先ず音読から入る。この段階で，
語句の区切り方，漢字の読み分け，読み方の速さ等から，どの程度の
理解を学習者がしているか大体摑める。

　ついで，内容の説明，よく使用される文型や表現の説明と練習が続
く。前述したように（「中級レベルでの文型練習」の項参照），分かれ
ばよいもの，自分で使えるようにしなければいけないものに大別し，
後者の場合は他の文例も与え，その文型や表現を用いた短文を作らせ
る。要約の練習も大事である。

　長い文は単に意味をとらせるのみでなく，主部と述部，修飾語と被
修飾語との関係等，文の構造を図示して理解させ，長い文への取り組
み方を教えておかないと応用がきかない。最も重要な述部はどれかを
早くみつけさせ，そこから他の部分との関係を理解していくよう指導
する。

　新聞講読に学習者は憧れ，これを初級後半程度のレベルの学習目的
の一つにあげる。しかし，新聞の文には省略が多く，しかも日本人の
一般常識を下敷きにして書かれているので，日本での生活経験の浅い
者にとっては，意外に難しい。

　中級も後半になると速読の指導が必要になってくる。しかし，速読
の指導を体系的に行っている機関は現在ほとんどなく，これは今後の
課題であろう。学習者の実力よりやややさしい読解教材を選び，要所
を押さえた質問に答えさせたり，要約させたりしてどんどん読み進め
る方法や，ある教材を各自辞書を使用して一定時間読ませ，それに関
する簡単なクイズをする方法などがある。コンピューターを利用し

て，一定の速度で行を順次消していく方法で文章を読ませた後，内容について質問したところ，練習の直後では，読む速度が早くなったという実験結果が報告されている。これも現在ではまだ実験の域を出ていない。

参考文献
（1）池田摩耶子（1977）『日本語再発見』，三省堂.
（2）岩淵悦太郎編著（1977）『第三版　悪文』，日本評論社.
（3）木村宗男（1982）『日本語教授法』，凡人社.
（4）国立国語研究所編（1980）「中級・上級の読解教育」，『中・上級の教授法』，日本語教育指導参考書7，pp.1-52.
（5）牧野成一，畑佐由紀子著（1989）『読解』，荒竹出版.

第16章　書き方の指導

第1節　「書く」ことの難しさ

　「書く」力は総合的な外国語運用能力を表す。特に日本語では，語彙力，構文力，表記の知識，表現力，漢字の知識の他に，音声的理解の確かさも平仮名による表現に反映してくる。実用的面からいっても，「書く」力は大きな役割を果たす。ある外国語が話せても書けなければ，その外国語を使って一人前の仕事をすることは難しい。ある外国語が使われている場所を離れた場合のコミュニケーションは主として「書く」ことに頼って行われる。外国語で書かれた文章が正しいかどうかはその言語を母語とする人にチェックしてもらう必要がある。このように考えてくると，外国語の「聞く」，「話す」，「読む」，「書く」の4技能のうち，ある意味では，「書く」ことは，指導上最も重視すべき技能であり，日本語を母語とする者の助力を最も必要とする分野である。

　外国人学習者が日本語の文章を書く場合，特に問題になるのは，次のような点である。

　　文字・表記

　　　　漢字——同音異義語，音訓の混同。字体の誤り。自国の漢字
　　　　　　　の混用。
　　　　表記——送りがな，外来語，音声上の問題の影響を受けた誤
　　　　　　　り。句読点等，各種の符号の誤用と混用。

語句

辞書で調べた語句の誤用。

日本語の語句の母語訳を再度日本語に直すために生じるずれ。

辞書に出ている語句をそのまま自分の文脈中に使用するための誤り。

副詞，指示詞の誤用。

文法

助詞の誤用。

時制の誤り——スル，シタ，シテイルの混同。

間接話法の誤り。

構文上の誤り——主語・目的語の省略のしすぎ，接続詞の誤用，文の続けすぎによる誤り，修飾語と被修飾語の位置etc.

自・他動詞の混同（漢字系に多い）。

不自然な表現

既習表現からの類推。

母語の表現の影響。

慣用句の知識の不足。

文体

書き言葉と話し言葉の混同——特に接続詞。

くだけた表現とあらたまった表現との混同。

デス・マス体とダ・デアル体との混用。

ダ体の濫用。

その他

段落の不自然な区切り方。

長すぎる段落。

書式上の誤り——原稿用紙への記入上の誤り。

第2節 表記上の諸問題

1. 句読点

　句読点の打ち方についてのきまった規則はないが，一般的な慣行を教えておく。文の意識が曖昧なためか，句読点の間違いは意外に多い。特に原稿用紙の書き方を指導するときには，ますめのどの位置に打つかを教える。日本語ワープロを使用する学習者も多くなってきているが，海外では，漢字指導のためもあって，原稿用紙を書き方のクラスで使う例はまだ見られる。

　その他の符号についても論文を書くときなどに必要になってくるので，教えておかなければならない。最近ではほとんどの論文は横書きになっているが，符号の使い方は縦書きと横書きではやや異なるので両方の書き方を教える。文例を書かせて指導するのもよいが，印刷物を与えて手元に持たせておく方が学習者にとっては有り難いだろう。

　句読点や「　」，（　）等も含めてくぎり符号の使い方の原則は，文部省編『国語の書き表し方』に方針が示されている。まとめると次のようになる。〔　〕内は筆者注。

[くぎり符号の使い方]
　目的　文章や語句の関係を明らかにするために用いる。
　種類　1.　　。　　　まる
　　　　2.　　、　　　てん（横書きの場合は「，」を用いる。）
　　　　3.　　・　　　なかてん〔「なかぐろ」とも呼ばれる。〕
　　　　4.　（　）　かっこ
　　　　5.「　」『　』かぎ〔前者は「かぎかっこ」，後者は「二重
　　　　　　　　　　　かぎかっこ」と呼んで区別している。〕
[使い方]
「。」（1）一つの文を完全に言い切ったところに必ず用いる。

（2）「　」及び（　）の中でも文の終止には「。」を用いる。かなりうるさくなるため，引用された場合の「　」や文中の（　）の中では省略されることも多い。出版社によってきまりは異なる。

（3）「―すること・もの・者・とき・場合」などで終わる項目の列記にも「。」を用いる。ただし，次のような場合を除く。

イ．題目や標語など簡単な語句を掲げる場合。

ロ．事物の名称だけを列記する場合。

ハ．言い切ったものを「　」を用いずに「と」で受ける場合。

「、」（1）縦書き文の中で，言葉の切れ続きを明らかにしないと，誤解される恐れのあるところに用いる。

（2）縦書き文の中で対等の関係で並ぶ同じ種類の語句の間に用いる。ただし，題目や標語，簡単な語句を並べる場合には付けない。（例：漢字の制限，かなづかいの改定，口語文の普及が，…）

「・」（1）名詞の並列の場合に用いる。（例：対話・講演・演劇・映画・放送など）

（2）縦書き文で，日付や時刻を略して表す場合に用いる。（例：昭和十五・七・一）

（3）称号を略して表す場合に用いる。（例：Y・M・C・A）ただし，名詞以外の語句を列挙するときと，数詞を並列する場合は用いない。

（　）　語句または文の次に，それについて特に注記を加えるときに用いる。

「　」　会話または語句を引用するとき，あるいは特に注意を喚起する語句をさしはさむ場合に用いる。

『　』　　　「　」の中にさらに語句を引用する場合に用いる。

「？」「！」　原則として用いない。

2．くり返し符号の使い方（文部省編『国語の書き表し方』による。）

くり返し符号は「々」以外は，できるだけ使わないようにするのが望ましい。

「々」　　　漢字一字の繰り返しの場合に用いる。

　　　　　例：人々，国々，年々，日々

　　　次のような場合には用いない。

　　　　　例：民主主義，大学学術局，学生生活課

　　　横書き文では「々」以外の符号は用いない。

「ゝ」　　　縦書き文で，一語の中で同音を繰り返すとき。

　　　　　例：かゝる，こゝろ，すゝめる

　　　次のような場合は用いない。

　　　　　例：バナナ，ココア，かわいい，手がかり，そののち，いままで，あわてて，そうはいうものの，——とともに

「ゞ」　　　縦書き文で，一語の中で繰り返された下の音が濁るとき。

　　　　　例：たゞ，たゞし，みすゞ波

　　　次のような場合には用いない。

　　　　　例：食べただけ，すべてです

「〳〵」　　縦書き文の中で二字のかなを繰り返すとき。

　　　　　例：さまざま，おれおれ

　　　三字以上にわたる場合，および二字以上の漢語や，横書きの場合には用いない。

「〃」　　　表や簿記などに用いる。

3．仮名遣い

現代仮名遣いに関しては文部省が1946年11月の内閣告示「現代かな

づかい」を分かりやすくまとめて「現代かなづかいの要領」として発表している。その後，1986年3月に国語審議会答申「改定現代仮名遣い」が出された。この答申には，直音，拗音，はつ音，促音，長音の表記，助詞の表記，動詞「言う」の表記の他に「じ・ぢ」，「ず・づ」の使い分け，オ・エ列長音表記の特例が示されている。

　日本語教育でもこの「改定現代仮名遣い」をよりどころとして仮名遣いを教える。「じ・ぢ」，「ず・づ」や特別な長音表記については，訂正はするが，誤りとして点はひかないのが普通である。ローマ字をあまり長く使用していると仮名遣いの方がおろそかになりがちである。

「じ・ぢ」，「ず・づ」

　現代語の意識で二語に分解しにくい語については「じ」，「ず」を用いることを本則とし，「ぢ」，「づ」を用いることも許容されている。次のような語は「ぢ」，「づ」を用いて書く。

　　（1）同音の連呼によって生じた「ぢ」，「づ」

　　　　ちぢみ（縮み）　ちぢむ　ちぢれる　ちぢこまる　つづみ（鼓）
　　　　つづら　つづく（続く）　つづめる　つづる

　　（2）二語の連合によって生じた「ぢ」，「づ」

　　　　はなぢ（鼻血）　そえぢ（添乳）　ちゃのみぢゃわん　まぢか（間
　　　　近）　こぢんまり　ちかぢか　ちりぢり　みかづき（三日月）
　　　　たけづつ（竹筒）　おこづかい（小遣）　あいそづかし　かたづ
　　　　く　こづく（小突）　つねづね（常々）　つくづくetc.

　次のような語の中の「じ」，「ず」は漢字の音読みでもともと濁っているもので，「じ」，「ず」で表す。

　　　　例：じめん（地面）　ぬのじ（布地）　ずが（図画）　りゃくず（略
　　　　　　図）

オ列長音表記の特例

　次のような語は，オ列の仮名に「お」を添えて書く。これらの語は，歴史的仮名遣いで「おほ」，「おを」と書いたものである。

　　　　　例：おおかみ　おおせ　おおやけ　こおり(氷)　こおろぎ　ほ
　　　　　　　　お　ほおづき　ほのお　とお(十)　いきどおる　おおう
　　　　　　　　こおる(凍る)　しおおせる　とおる　とどこおる　もよお
　　　　　　　　す　いとおしい　おおい(多い)　おおきい(大きい)　とお
　　　　　　　　い(遠い)　おおむね　おおよそ

エ列長音表記の特例

　次のような語はエ列の仮名に「い」を添えて書く。

　　　　　例：かれい　せい(背)　かせいで　まねいて　へい　めい(銘)
　　　　　　　　えいが　とけいetc.

4．送り仮名

　送り仮名の付け方についても1973年6月及び1981年10月の内閣告示「送り仮名の付け方」によって一応の方針が示されている。しかし，例外や許容も多く非常に複雑である。

　日本語教育における送り仮名の指導はこれらの告示によって「本則(送り仮名の付け方の基本的な法則と考えられるもの)」として示されている用法に従う。しかし，学習者が試験や作文などで間違えても点はひかず，訂正するのみにとどめる例が一般的である。これらの告示は送り仮名の付け方のよりどころを示すもので，各種の専門分野や個個人の表記にまで及ぼそうとするものではないことが前書きに明記されており，日本人でも日常生活では，必ずしもこの「本則」通りの使い方をしているわけでなく，それがそのまま通用しているからである。

　ここでは，これらの告示の本則のみを示す。

［送り仮名の付け方の本則］
単独の語（漢字の音又は訓を単独に用いて，漢字一字で書き表す語）

1．活用のある語

通則1

本則　活用のある語(通則2を適用する語を除く)は活用語尾を送る。

　　例：憤る　承る　書く　実る　催す　生きる　陥れる　考える

　　　　助ける　荒い　潔い　賢い　濃い　主だ

通則2

本則　活用語尾以外の部分に他の語を含む語は，含まれている語の
　　送り仮名の付け方によって送る。(　)内は含まれている語。

　　例(1) 動詞の活用形又はそれに準ずるものを含むもの。

　　　　　　動かす(動く)　照らす(照る)　語らう(語る)　計らう(計
　　　　　　る)　生まれる(生む)　押さえる(押す)　勇ましい(勇む)
　　　　　　輝かしい(輝く)　晴れやかだ(晴れる)　及ぼす(及ぶ)
　　　　　　積もる(積む)　頼もしい(頼む)　起こる(起きる)　暮ら
　　　　　　す(暮れる)　冷やす(冷える)　当たる(当てる)　終わる
　　　　　　(終える)　混ざる・混じる(混ぜる)　恐ろしい(恐れる)
　　　　　　etc.

　　　(2) 形容詞・形容動詞の語幹を含むもの。

　　　　　　重んずる(重い)　若やぐ(若い)　怪しむ(怪しい)　悲し
　　　　　　む(悲しい)　確かめる(確かだ)　重たい(重い)　憎らし
　　　　　　い(憎い)　細かい(細かだ)　柔らかい(柔らかだ)　清ら
　　　　　　かだ(清い)　高らかだ(高い)

　　　(3) 名詞を含むもの。

　　　　　　汗ばむ(汗)　先んずる(先)　男らしい(男)　後ろめたい
　　　　　　(後ろ)

2．活用のない語

通則3

本則　名詞(通則4を適用する語を除く)は，送り仮名を付けない。

　　　例：月　鳥　花　山　男　女　彼　何

通則4

本則　活用のある語から転じた名詞及び活用のある語に「さ」，
　　「み」，「げ」などの接尾辞が付いて名詞になったものは，もと
　　の語の送り仮名の付け方によって送る。

　　例（1）活用のある語から転じたもの。

　　　　　　　動き　仰せ　当たり　代わり　狩り　答え　憩い　愁い
　　　　　　　近く　遠くetc.

　　　（2）「さ」，「み」，「げ」などの接尾辞が付いたもの。

　　　　　　　暑さ　大きさ　正しさ　確かさ　明るみ　重み　憎しみ
　　　　　　　惜しげ

通則5

本則　副詞・連体詞・接続詞は，最後の音節を送る。

　　例：必ず　更に　少し　既に　再び　全く　最も　来る　去る
　　　　及び　且つ　但し

3．複合の語（漢字の訓と訓，音と訓などを複合させ，漢字二字以上
　　　　を用いて書き表す語）

通則6

本則　複合の語（通則7を適用する語を除く）の送り仮名は，その
　　複合の語を書き表す漢字の，それぞれの音訓を用いた単独の語
　　の送り仮名の付け方による。

　　例（1）活用のある語

　　　　　　　書き抜く　流れ込む　申し込む　聞き苦しい　薄暗い
　　　　　　　気軽だ　望み薄だetc.

　　　（2）活用のない語

　　　　　　　石橋　竹馬　後ろ姿　斜め左　田植え　封切り　入り江
　　　　　　　飛び火　寒空　深情け　愚か者　行き帰り　伸び縮み
　　　　　　　長生き　早起き　粘り強さ　有り難み　乳飲み子　無理
　　　　　　　強い　次々　常々　近々　深々　休み休み　行く行く

　　　　etc.

通則7

複合の語のうち，次のような名詞は，慣用に従って，送り仮名を付けない。

　　例（1）特定の領域の語で，慣用が固定していると認められるもの。

　　　　ア　地位・身分・役職等の名。関取　頭取　取締役　事務取扱

　　　　イ　工芸品の名に用いられた「織」，「染」，「塗」等。博多織

　　　　　　型絵染　春慶塗etc.

　　　　ウ　その他。書留　気付　切手　請負　売値　買値　倉敷料

　　　　　　作付面積　売上高　貸付金　申込書　待合室　乗組員　引換

　　　　　　券　取扱注意　積立金　見積書etc.

　　　（2）一般に慣用が固定していると認められるもの。奥書　木

　　　　　　立　献立　合図　合間　受付　受取　浮世絵　絵巻物

　　　　　　仕立屋etc.

4．付表の語（「常用漢字表」の付表にある語のうち送り仮名の付け方が問題となる語）

　　1．次の語は，次に示すように送る。

　　　　浮つく　お巡りさん　差し支える　五月晴れ　立ち退く　手伝う　最寄り

　　次の語は，（　）内に示すように送り仮名を省くことができる。

　　　　差し支える（差支える）　五月晴れ（五月晴）　立ち退く（立退く）

　　2．次の語は，送り仮名を付けない。

　　　　息吹　桟敷　時雨　築山　名残　雪崩　吹雪　迷子　行方

　送り仮名の指導や作文の添削に際しては，その都度辞書や参考書をまめに開いて調べないと，とんでもない思い違いをしていることがよくある。

第 3 節　文を書く練習

Ⅰ．初級の文章表現

　文を書く練習は最初の段階から始める方がよい。文字の使い分けや表記法など，日本語の文字表現は複雑なので，書いて覚える習慣をつけておく必要があるからである。

　『Modern Japanese for University Students』，Part I 付属練習帳には，「表現」と呼ばれる部分があり，各課で学習した文型を中心とした文を20-30ぐらい書かせる練習を英文和訳の形で第 1 課から行うようになっていた。英文は既習文型を引き出すための手掛かりとして与えられている。亜細亜大学留学生別科で作られた『現代日本語作文』は最初の段階から書く練習を目指した練習用教材で単語レベルからの問題も含まれている。

　木村宗男（1982）は「文字表現の基礎的能力は，初級・中級のあいだに養っておかなければならない。口頭表現に習熟し，読解能力を持っていても，それだけでは文字表現を十分に行うことはできない。文字によって読むばかりではなく，それを使って書くことを早くから習慣づけなければならない。」として，種々の練習例をあげている（pp.161-163）。

　1．実物・模型・絵などを示して，それを平仮名で書かせる。
　2．口頭による応答練習の答えの部分を文字で書かせる。
　3．自宅から学校への道順を図示させ，必要な目標・駅名・停留所名などの文字を入れさせる。
　4．欠席，早退届けの類を文字に書いて提出させる。
　5．教科書の文の完全な写しを提出させる。
　6．空欄に文字を記入させるような問題を出す。
　7．言葉を与えて短い文章を書かせる。

8．語句の解釈・定義を書かせる。

9．漢字熟語複合語を書きのばさせる（例：入試終了直後＝入試が終了した直後に）。

10．類義語を与えて文を書かせる（例：行く，歩く，捨てる，投げる，言う，話す）。

11．数枚の絵・写真，一連の動作を見せたり，録音された音を聞かせたりして，それを文で表現させる。

12．文の前段を与えて後段を書かせる。

　初級も半ばを過ぎるころになり，ある程度の語彙や文型を習得した段階で，少しずつまとまった文を書く練習に入る。例えば，「──て」の形が使えるようになったら，一日の自分の生活について書かせる。このレベルでは短い文を正しく書くことを目的とする。

　そのためには，できるだけ既習の語彙や文型を使って書けるように，教科書で扱った主題について書くことから始め，日常生活で必要な種々の用紙の記入の仕方の他，学習者の日常的な出来事や社交的手紙などに進む。

　辞書の使用もこのレベルになると必要になってくるが，日本語と母語との対訳辞書を使うために辞書でみつけた意味のややずれた語をそのまま使うための誤用が起こってくる。用例の多い国語辞典でその語をもう一度ひき直せば，この種の誤用はかなり防げるはずであるが，前述したように，現在の国語辞典にはあまり多くを望めない。また，よい辞典ができたとしてもこのレベルの学習者が大きな辞書を使う意欲を持ち合わせているかどうか疑問である。教師の添削に待つよりいたしかたないが，この過程を経ないと微妙なニュアンスの差のある語の使い分けはできない。添削によって学習者が得た知識を無駄にしないためには，それらの語彙の使用法がある程度定着するまで，同じような語彙が使えるような主題を選んで文章を書かせ，繰り返し使う機

会を与える必要がある。

　文章を書く力は，話す力や構文力とは必ずしも一致しない。話すのは上手なのにどういうわけか文を書かせると極く初歩的な文法上の間違いを繰り返す者もいる反面，貧しい語彙や貧しい文型を駆使して起承転結のしっかりした構成を持つ明確で面白い文章を書く者もいる。他のクラスではいくらかひけめを感じている学習者を作文クラスで活気づけることもできる。「文は人なり」は日本語学習途上の作文でも見られる現象である。成人であるならば，自国で文章表現の訓練を受けているはずなので，学習者の性格ばかりでなく，自国での教育的背景も影響しているのであろう。

　何か手本になるような文章を示し，それを参考にして書かせる方法もある。この方法では，その文章中の表現を使ったり，やや変えたりして自分の作文を構成する学習者もいて，ある程度の練習にはなるが，やはり，究極的な目標は自分の表現を使用して書くことにあるので，あまりいつまでも続けない方がよい。

　添削はできるだけ原文を生かす方向で行う。自然な表現と文法的正しさのどちらを優先すべきか迷う場合があるが，初級前半レベルでは，まず文法的に正しい文を示し，その次の段階で自然な表現に直す。例えば，添削済みの正しい表現を定着させなければ添削する意味がないので，添削済みの作文をもう一度清書して提出させる。最初は文法的に正しい表現に直し，二度目には，さらにそれを自然な表現に直す。

　漫然と作文させるのではなく，何か条件をつけ目的のはっきりした作文練習をするほうが基礎的な力を養うには役に立つ。

　　例1：デス・マス体で書いた作文を添削後ダ・デアル体に直させる。
　　例2：休みの前に「休み中の計画」について書かせる。休みの後

で「休み中にしたこと」を計画と関連づけて書かせ，時制
に重点をおいた表現の練習をする。

例3：ある手紙を読ませ，その返事を書かせる。

例4：同じ内容の手紙を相手を変えて書かせる。例えば友人あて
に書かせた手紙を添削後，友人の両親あてに書かせ，敬語
の使い方の練習をする。

　最近では，ワープロを使う場合が多くなってきているが，このレベ
ルでの作文は漢字の書き方の問題もあって，原稿用紙に書かせる教師
も多い。原稿用紙を使うのであれば，縦書き，横書き両方の使い方を
教えておく。

[原稿用紙の使い方]

題名　長い題であれば2行目の3ます目あたりから書く。短い題
であれば，紙の中央よりやや上部にくるように書く。

氏名　3行目の下の方に書く。一番下は1ますあける。

本文　5行目くらいから書き始める。段落の始めは最初の1ます
を必ずあける。

符号　句読点や符号「　」（　）？！々には1ますずつ使う。句読
点はますの右上方に書く。行末にきた時には，次の行の頭に
は打たずに行末に打つ。？や！の次には，」がきた時以外は，
1ますあける。……や……には，普通2ますをあてる。繰り
返し符号は「々」以外は使わないようにする。

ローマ字　大文字は1ます1字，小文字は2字を入れる。

数字　1ますに2字入れる。

2．中級・上級レベルの文章表現

　このレベルでは，文のつなげ方の練習が第一の指導目標となる。究
極的な指導目標はレポートや論文などいわゆる「仕事のための文章」

が書けるようにすることであるが，まず，明確で正しい短い文章が書けないと，試験の答案を書いたり，ちょっとしたメモを書くなど，日常生活をする上でも不便である。この練習には単語や事物の定義をさせるとよい。

　また，日本語の講義のノートがとれるようにする指導も必要であろう。母語でとっても構わないものの，それを日本語に移し替える段階でずれができ，聞き取った知識の再生が日本語では難しくなる。この点から，日本語でノートがとれる力を養っておく方が望ましい。そのためには，要約の力が必要となる。先行研究結果のまとめや自分の論文発表のためにも要約は不可欠である。この技能には聴解力，読解力も関わってくるので，他クラスと連携した指導をした方が効果的である。

　日常生活に密着した主題について書くいわゆる「作文」の域を出て，説明文，報告文，論説文の書き方の指導に入る段階であろう。

　このレベルでは，次のような問題が見られる。

（1）デス・マス体とダ・デアル体の混用

　これは混ぜないようにといくら説明してもなくならない問題の一つである。根気よく訂正するしかない。日本人の書いた物にも時折見られる問題である。

（2）ダ体の濫用

　「ダ」は「デス」に対する形として教えられるせいか，文末をすべて「ダ」で終えてしまう学習者が多い。「ダ」については諸説があるが，書き手の判断を表し，独白的な文体に用いられる思考語とされている。これに対して「デアル」は何かを説明する文体に使われ，論説文の代表的な文末表現である。随筆では「ダ・デアル」混用形式が最も多く，両者を比べると「デアル」の方が多用される傾向のあることが報告されている（辻村敏樹「今の文体とこれからの文体──文末形

式を中心にして——」，『言語生活』108号，築摩書房，1960，pp. 16-25)。

（3）話し言葉と書き言葉の混用

　話し言葉と書き言葉の混用は初級レベルで話し言葉を学ぶこと，日常生活で話し言葉との接触の方が多いことなどによるためであろう。日本での学習者の文章表現では，接続詞の用法に最も多く現れる。既習の語彙のうち，特にこの観点から見て差のあるものは，それぞれ話し言葉，書き言葉別にまとめ，プリントにして渡すとよい。

（4）語彙・表現の選択と文体の問題

　語彙や表現には，手紙のようないわゆる社交的文書に使われるもの，文学作品のような文科系の書物に使われるもの，論文や報告書のように「乾いた」文体で使われるものなどがある。このレベルの学習者は，まだ専門書を読むにいたっていないためもあって，論文などで使用される語彙や表現の知識があまりない。また，学生であれば，専門課程に入り，日本語の語学コースを離れてしまうと「言葉」の面でのきちんとした指導を受けることがあまりないので，論文を書くための表現について学ぶ機会は失われてしまう。その結果，論文指導特に卒業論文では，語彙や表現の入れ替えと，冗慢な文を削り取り，引き締まった文に直し，焦点をはっきりさせる作業が大半を占める。

　このような理由から中・上級コースでは，文章表現クラスでの文体別の語彙・表現の整理に加えて，読解クラスとの連携を密にして，できるだけ専門書，少なくとも「論文体」の文章を語彙・表現と文体との関わりに注意しながら数多く読ませるようにするとよい。

（5）引用と自分の意見の混同

　初級レベルでの間接話法の指導とも関連してくるが，どこまでが引用で，どこからが自分の意見か全く分からない論文が多い。これは帰

国学生の書くものにも見られる。日本人大学生にとっても指導の必要な事項ではあるが，初級の段階での間接話法は「理解」レベルにとどめられている傾向もあるので，「使える」レベルを目指した指導を初級で行っておけば，かなり防げる問題である。

（6）段落の切り方に関わる問題

　文章の書き方の基本的知識は自国で指導を受けているはずであるが，必ずしも日本語の文章表現の技術とは一致しないらしい。段落のたて方に関する問題は意外に多く，特に主題の整理されていない長すぎる段落が目立つ。語学力以前の問題なのかもしれないが，段落のたて方に関する指導が不足しているせいでもあろう。

　段落のたて方については，木下是雄（1981）の第 3，4 章（p.30-74）が外国人の文科系の学生にとっても役に立つ。

　第 3 章には文章の組み立て方が述べられている。ここでは，序論，本論，結びの組み立てと，本論での叙述の順序を具体的に説明している。特に強調されているのは，書こうとすることについて大づかみな説明を与えてから細部の記述に入ること，ある基準に基づいた一定の順序に従って理論を展開させることである。そのための方法としてカードを利用した構成案のつくり方が紹介されている。

　第 4 章はパラグラフについて述べられている。各パラグラフには，そこで言おうとすることを一口に概論的に述べる文（トピック・センテンス）が含まれ，他の文はこの文を支援しなければならないと説かれている。

　トピック・センテンスをパラグラフの中間や末尾におく場合やトピック・センテンスがないほうがいい場合には，「パラグラフの最初に，先行するパラグラフとの関係を示す文または句を入れることを忘れてはいけない」（p.74）とあるが，日本語学習者の文章で文体レベルに関して違和感のある文が現れるのはこの繋ぎの部分である。でき

れば，パラグラフの頭につなぎの文がなくてもパラグラフの配列から必然的に流れが分かるような論文構成にしたほうが無難である。

　いずれにしても，卒業論文のように長いものを書く前に，学期末のレポート程度の文章を数多く書き，添削してもらう経験を積ませておくことが肝要である。

　現在の日本語教育では，上級レベルで見られる文章表現の諸問題への対応はまだできていない。指導のためのよりどころとなる文章の分析，特に文体に関わる分析は今後の課題であろう。また，「書くこと」を視野に入れた初級レベルからの他技能の指導も重要な課題である。

参考文献
（1）池尾スミ（1974）『文章表現』，教師用日本語教育ハンドブック，国際交流基金．
（2）木下是雄（1981）『理科系の作文技術』，中公新書624，中央公論社．
（3）木村宗男（1982）『日本語教授法』，凡人社．
（4）三省堂編集所編（1986）『必携用字用語辞典』，三省堂．
（5）鈴木順子，石田敏子（1988）『表記法』，荒竹出版．
（6）武部良明（1981）『日本語表記法の課題』，三省堂．
（7）永野賢（1969）『悪文の自己診断と治療の実際』，至文堂．
（8）長谷川泉（1982）『新編国語表現ハンドブック(改定版)』，明治書院．
（9）森岡健二（1963）『文章構成法』，至文堂．

第17章　日本語教育における評価法

　現在の教育では，従来の「古典的テスト理論」に基づく相対的評価から絶対的評価重視に移りつつある。新しいテスト理論の研究がなされるようになったが，具体的なテストの作成はまだ軌道に乗ったとはいいがたい。ここでは，主として「古典的テスト理論」について述べる。

第1節　評価の目的と機能

　評価は単に学習の到達度を知るためのものに留まらない。教師の側から見れば，評価結果は自分の教授法に関する反省材料を提供し，改善のための示唆を与えてくれる。学習者にとっては，自己の学習方法を見直す手掛かりを与えると同時に，学習上の重要な点がどこにあるかを知らせ，その後の学習の方向づけをする。グループ内での自分の位置を知らせることも評価の機能の一つである。

　評価は次の三種に分けられる。

（1）診断的評価

　　学習者の実力を把握し，最も適した教授法を採用したり，適したレベルのクラスへふりわけたりするための評価法。一般に授業の開始前に実施される。プレイスメントテストや適性テストがこれに当たる。

（2）形成的評価

　　教師と学習者の双方が学習者の到達目標の達成度と同時に弱点

を知り，学習方法やその結果についてフィードバックを受け，改善を加えるための資料となる評価。授業中に随時行われる教師の自作テストがこれに当たる。

（3）総括的評価

　　指導目標がどの程度習得できたかを総括的に評価するもの。一定期間の学習終了後に行われる。学期末テストや学年末テストがこれに当たる。中間テストは形成的評価でもあり，総括的評価でもある。

第2節　語学用テストの種類

　語学用テストは測定しようとする対象によって幾つかにわけられる。

I．適性テスト（Apptitude Test）

　語学学習に対する適性の有無やどのような点に関しては適性が認められるか等を測定することを目的としたテスト。日本語教育では，研究は進められているが，まだ適性テストそのものは開発されていない。

2．学力テスト（Achievement Test）

　ある一定期間の学習の目標到達度を測定するテスト。既習事項についてのみテストする。学力テストは標準テストと教師の自作テストに分けられる。

　標準学力テストは，ある大集団を代表する基準集団のテスト結果に基づいて作られたテストで，個人の標準テストの得点は，基準値に換算出来るようになっており，その集団における相対的位置をすぐに知ることが出来る。実施手順や採点法は厳密に規定されている。日本語の標準学力テストにあたるものはアメリカで作成されたテストがあり，Educational Testing Serviceを通じて受験できるようになっている。しかし，英語が分からないと受けられない。日本語教育では，

各母語ごとに基準集団を求めなければならないので，標準テストの作成は非常に難しい。

　以上のような理由から日本語教育では，一般に教師自作の学力テストが用いられている。学力テストは種々の役割を果たす。学習者の側からは，自分の達成度，長所・短所及びグループ全体の中での位置，即ち自己の実力を知り，自分の進む方向を決める材料とすることができる。一方，教師の側から見れば，学習者の到達度を知ると同時に，自分の教えたことがどの程度理解されているかを知り，教授法の反省材料とすることができる。また，学習のポイントとなる事項を出題することにより，どの点が重要であるかを示し，学習の方向づけをすることもテストの主要な役割の一つである。テストの作成，実施にあたっては，これらの役割が十分果たせるように考慮しなければ，テストをする意味がない。

　当然のことながら，テストは成績判定の資料となる。前述したように，外国人学習者は成績に敏感である。それは，学業成績が奨学金が受けられるか否か，即ち，学業が続けられるかどうか，大学院に進めるか，望みの仕事につけるか，将来昇進の道がひらけるか等生活上，大きな影響を及ぼす制度をとっている国が多いからである。従ってテストの0.1点の差にもこだわるし，各テストの結果が学年末に受け取る成績にどう響くかを知りたがる。この点を考慮すると，成績の判定はできるだけ多くの資料に基づき，多角的に行わなければならない。また，テストの作成，採点に当たっては，慎重にならざるを得ない。

　学力テストは総括的なものと，形成的なものとに分けられる。前者は，中間，期末テスト等，まとまった内容をもりこんだテストであり，後者は，前回までの復習と学習事項の確認を目的として学期中に度々行われる小テストで，書き取り，漢字の読み書き，動詞の活用等，学習項目をしぼって出題されるのが普通である。英語では，前者をテスト，後者をクイズと呼び分けている。（ここでも，英語の呼称

に従う。)

3. 能力テスト (Proficiency Test)

　検定試験のように，あるレベルの一般的な語学力を測るテスト。現在，日本語能力テストとしては，国際交流基金などが中心となって行っているものがあり，1-4級に分かれ検定テストとして1984年から世界中で同時に行われている。

4. プレイスメント・テスト (Placement Test)

　ある程度の日本語学力を有する学習者を最も適したレベルのクラスへ入れるために，学習者の実力を測るテスト。あるコースを免除するかどうかを判定するための免除テストも含まれる。各教育機関の実情に合わせて，教師自作テストが使用されている。各コースの学年末テストは学力テストの一種であるが，コースの免除テストとしてプレイスメント・テストの代わりに使用される場合も多い。プレイスメント・テストは普通，学年始めに行われる。このテストをきちんと作っておかないと，レベルのまちまちな学習者が混在するクラスとなり，習う側にも教える側にも問題を残すことになる。これを防ぐために，どの機関でもプレイスメント・テストにはかなりの手間と時間をさいている。

5. 適応型テスト (Adaptive [Tailored] Testing)

　従来の型のテストでは全員が同じテストを受けた。適応型テストでは，個々の受験者が各自のレベルに合わせて作成されたテストを自分のペースで解答する。まず，中程度の難易度の問題が与えられる。これに正しく答えられれば，次にはもう一回り難しい問題が提示される。もし，最初の問題に正しく答えられなければ，次にはもう一回り易しい問題が与えられる。このように，受験者の反応によって次の問題の難易度が決定される。したがって，同じ受験場で，個々の受験者

がそれぞれのレベルに合わせた異なるテストを受けていることになる。テストの種類というよりテストの一形態とでもいうべきものである。

　コンピューターの導入によって，このようなテストの実施が可能になってきた。各問題毎に正答が出せるまでの時間や試行錯誤の過程等の記録が残せるので，日本語習得のプロセスを知るためやテスト作成のための資料を得ることができる。

第3節　主観的テストと客観的テスト

　教師の自作テストは出題の形式によって主観的テストと客観的テストに大別される。主観的テストには，論述式のテストや書き取り，短文づくり，会話のテスト等が含まれる。日本語教育では，論述式といっても，答えを簡単に記述させる程度にとどまるものが普通である。主観的テストと客観的テストの特徴をまとめてみると次のようになる。

主観的テスト

1．問題を作るのは楽だが採点は困難である。特に採点の基準を一定に保つのは難しい。
2．受験者は解答を書くために多くの時間をかけなければならない。
3．自由な答えが書ける。
4．問題数を多くすることができない。
5．だれでも採点できるわけ

客観的テスト

1．問題を作るのは大変だが採点は容易である。
2．受験者は問題を読んで理解し，解答することに時間を費やす。
3．与えられた選択肢の中から最適の答えを選ぶので，始めから枠組みが決められている。
4．沢山の問題が出せる。
5．機械による採点が可能で

ではない。

6．解答結果から問題の良否を客観的に知ることは難しい。

7．表現力の乏しい受験者は実力が十分に示せない恐れがある。

8．総合的な学力が試せる。

ある。

6．解答結果を統計的に分析し，問題の良否を客観的に知ることができる。

7．まぐれ当たりの余地がある。

8．断片的な学力しか測れない。

　池田央(1980，p.25-27)は各テスト形式が適している状況をまとめているが，どちらの形式を選択するかを決めるための参考になるので紹介しておく。

論述テストが向いている状況

1．受験者数が少なく，また今後同じ問題を繰り返して使用する必要のないとき。

2．生徒に筋道立てて，自分の考えを表現させたり，体系的な作品をまとめさせたりする力を育てたいとき。

3．計算力や漢字書き取りなど基本的な技能を身につけさせたいとき。

4．教師が生徒の到達度そのものを知るより，態度を知ることに関心があるとき。

5．一回の採点評価の結果が生徒自身の重要な決定（入試とか，調査書作成とか）に大きな影響を及ぼす恐れの少ないとき（日常の教室授業の場面など）。

6．生徒に十分時間が与えられ，作品として完成できるだけの時間的余裕があるとき。

7．教師による添削が十分行え，かつ短期間に結果を生徒にフィードバックできるとき。

8．教師にとってよい客観的テスト問題を作る創造力より，答案を綿密に読む力の方に自信があるとき。

9．問題を作る時間があまりないが，答案を読む時間は十分あるとき。

客観テストが向いている状況

1．受験者が多く，またいつの日か同じ問題（少なくとも一部について）を再度使用することが可能なとき。

2．教授目標の細目が比較的はっきりしており，それに従って緻密な学習プログラムを課題として明示できるとき。

3．生徒に対して予定された教授内容を一定水準までムラなく学習させたいとき。

4．教師が短時間にできるだけくわしく，また正確に生徒の到達度を知りたいとき。

5．生徒の得意不得意領域を診断的に識別評価したいとき。

6．できるだけ信頼性のあるテスト得点がほしいとき（入試の決定など）。

7．評価に公正さが要求され，ハロー効果などを避ける必要があるとき。

8．一回の採点結果が生徒自身の重要な決定に影響を強く及ぼすとき。

9．教師にとって，客観テスト問題に自分の考えを表現する方が，論述テストの答案を正しく読むことより自信があるとき。

10．テスト問題を作る時間的余裕はあるが，実施してから採点，報告までにスピードが要求されるとき。

11．生徒自身または仲間どうしで採点させることが許されるとき。

12．集団反応分析装置やマーク・シートなどによる機械採点の使用が許されるとき。

13. 複雑な図や長い問題の印刷に必要な設備が整っているとき。

14. スライドや録音テープなどを使った問題提示も可能なとき（解答を客観式に作る）。

A. 客観的テスト

　日本語教育では，採点の基準をきちんと説明出来るようにしておかねばならない。そのせいもあって，客観的テストが幅広く使用されている。

　客観的テストにはいろいろな型がある。

a. 真偽式（○×式）

　　　　例：正しいものには○，間違っているものには×をつけなさい。

　　　　　1. 月は太陽より大きい。

　　　　　2. 富士山より高い山は日本にない。

　　　　　3. 東京はニューヨークほど寒くない。

　長文を読ませた後，内容の理解を確かめる，類似の表現やまぎらわしい表現の差を判断させる等のために使用される。長文読解の場合には，行間を読ませるような出題が望ましい。長文中に使われている語句をそのまま使用するよりも，同じ意味の他の既習表現を用いて出題するなどして，内容を本当に理解しているかどうかをいろいろな角度から確かめる。各問題文は短くし，むしろ数を多くする。まぐれ当たりの可能性が高いため，テストの信頼性（後述）を高くしたい時には問題の数をかなり多くしなければならないので，入試のような場合には，この形式の出題は避けた方がよい。

b. 多肢選択式

　　　　例：正しいものを選びなさい。

　　　　　　道（1. に　2. を　3. で　4. へ）歩きます。

構文の理解，助詞の使い方，漢字の読み方，漢字や単語の使い方，字形の確認等に幅広く使われている。自分では使えなくても理解できればよい事項や，所要時間の割りには問題数を多くしたい場合に適している。選択肢の数が多いほどまぐれ当たりの可能性は少なくなるが，不自然な解答のはいる可能性は反対に高くなる。いろいろな条件を考慮した上で4肢選択形式が多く使われている。3肢選択でも与え方によっては偶然性を減らすことも可能である。

> 例1：正しいものを二つ選び解答欄に番号を記入しなさい。正解がない場合は0を記入しなさい。（4通りの可能性）
> 例2：同じものを選びその番号を書きなさい。（3肢共同じ，3肢共異なる，どれかが異なるの5通りの可能性）

　一見してすぐに正解と分かるような選択肢は避けた方がよい。どの選択肢も同じ条件にするという観点からは，各選択肢に含まれる漢字についても配慮しなければならない。特に漢字系，非漢字系学習者の混成クラスでは，選択肢中の漢字は前者にとって有利な手掛かりを与えることになるので，公平さを欠く。選択肢のマークとしては，a，b，c，よりも1，2，3，を使用する方がよい。アルファベットを使わない国も多く，特に聴解力テストでは，聞き取りに影響する場合もあるからである。

c．選択式

> 例：下線の部分と同じ使い方をするものに○をつけなさい。
>
> 　これはきれいじゃないです。
>
> 　1．元気　2．美しい　3．古い　4．本

　　　　　　5．きたない　6．着る　7．聞く　8．静か
　　　　　　9．新しい　10．悪い

　多肢選択式の変形として広く使われている。同音異義語の使い分け
を試す問題のように記入式との組合わせも可能である。

　　　　例：〔　〕の中から適当な漢字を選び（　）の中へ入れ，
　　　　　　読み方と意味を書きなさい。
　　　　　　〔関，簡，間，漢，換，館，慣，巻，冠，寒，刊，観，
　　　　　　官，患〕
　　　　　　週（　　）誌＝　　（　　）僚＝　　（　　）光＝
　　　　　　（　　　　）　　（　　　　）　　（　　　　）

d．組合わせ式
　　　　例：右と左を線で結びなさい。
　　　　　　　靴を　　　　　　しめる
　　　　　　　服を　　　　　　着る
　　　　　　　ネクタイを　　　はめる
　　　　　　　指輪を　　　　　はく

　両方の語の数を同じにする必要はない。問題の多い時には，線で結
ぶと採点しにくいので，（　）の中へ記号を入れさせる形式にした方
がよい。慣用句の使い方の理解をみるためによく使用される。助詞の
部分を（　）にしておいて記入させると，助詞の理解力も併せて試せ
る。

e．並べ変え式

　　　　例：正しい順に番号を入れなさい。
　　　　　　（　）あげました，（　）いただいた，（　）友だちに，
　　　　　　（　）本を，（　）先生に

　構文の問題に使われるほか，単語の意味の理解を知るために程度に応じて並べ変えさせる問題もある。複数の正答が可能な場合もあるので，採点には注意を要する。

f．穴埋め式

　　　　　例：（　）の中に適当な語を入れなさい。
　　　　　　　　祖母（　），先生（　）お書き（　）なったもの（　）
　　　　　　　　新聞（　）載る（　），それ（　）子供たち（　）読ん
　　　　　　　　で聞かせた。

　助詞や接続詞等の理解をみるためによく使われる。手掛かりとなる語句を抜き過ぎないよう気をつけなければならない。（　）の中に入れるべき語を与えておく場合もある。

g．訂正式

　　　　　例：下線の部分を正しく書き直しなさい。
　　　　　　　　弟に差し上げました。

　この形式の出題は，間違いの方を覚えてしまう恐れがあるので避けるべきだとする考えもある。誤っている部分を自分で発見させることも評価の対象となり得るが，訂正させようと思う箇所をはっきり指示しておかないと，解釈の仕方によっては思いがけない解答の出てくる可能性がある。

B．主観的テスト

a．書き取り

　書き取りには，全文書き取らせるものと，部分的に語句を抜いておき，その部分を書き取らせるものとがある。前者は採点に手間どる。後者は採点は簡単であるが，問題を作るのに手間どる。全文書き取らせる場合には，全文を先ず普通の速度で読み，次に一区切りずつゆっ

くり読んで書き取らせる。最後にもう一度読み，訂正させる。この最後の読みを普通の速さで読む教師が多いが，２回目の読みよりやや長い区切りでやはりかなりゆっくり読むようにしないと，学習者は誤りをみつけても書き直すひまがない。同じ語句の繰り返しはできるだけ避ける。もし，どうしても入ってしまう場合には，採点の時に考慮しないと，たった一語が聞き取れなかったために点がひどく低くなってしまう。教師の作った文を書き取らせる場合には，できるだけ音声上の問題を含める。（例：四時に用事があります。）

予想される誤りとしては，平仮名の誤り，漢字の誤り，聞き取れなかった単語，句，文，文節などがあげられる。聞き取れていても漢字を間違えた場合と既習漢字ではあるが平仮名で書いた場合の採点をどうするか，かなり長い部分を聞き取れなかった場合には何点ぐらい引くか等，採点の基準をあらかじめ決めておく。

部分的に書き取らせるのは，採点は楽ではあるが，やさしくなりすぎる傾向がある。音声上問題のある語や文末を抜いておくとか，意味のある抜き方が肝要である。

海外の外国語教育では，総合的語学力を試すテストとして，最近，書き取りが重視されている。音標文字である平仮名を主として使用している日本語学習でも書き取りが総合的な力を示すのかどうかは，今後研究の余地がある。

b．短文作り

「短文作り」は，特定の文型や表現を使用して文を作らせる形式で，初級後半以降に多く出題される。

　　　例：次の表現を使用して文を作りなさい。
　　　　──せざるをえない＝
　　　　──したとたんに＝

初級後半レベルでの文型練習や教科書の本文中から出題されるのが

普通である。この形式の問題の採点にも極めて主観的な判断が入るので，あらかじめ採点基準をできるだけ明確に決めておく。学習者が本当に使い方を理解しているかどうかを知り，誤解している場合にはその原因がどこにあるかを探るのに役立つ出題形式であるが，学習者の作った文をなぜ正答と認められないか説明できかねる場合もあり，採点は甚だ難しい。正答とみなす許容の限界をどの辺りにおくか，どこまでを採点の対象に含めるか，例えば，表記や漢字に誤りがあっても指定された表現さえ正しく使えていればよいのか，助詞の誤用はどうするか等も学習者のレベルに応じて事前に決めておく必要がある。

c．作文

テストの一部に作文を課すことも初級レベルではよく行われる。既習事項に関連した題を与えたり，簡単な絵について説明させたり出題形式は様々である。この場合も採点基準をきちんと説明できるようにしておくことが肝要である。長く書いたために減点の対象が多くなることもあるので，書いた量にも配慮しなければならない。

d．会話テスト

話す力を試すテストは個人的に行わなければならないので，大きなテストではあまり試みられていない。学期中の形成的評価または，学期末の総括的評価として実施されることが多い。教師の問いに答えさせる，絵，写真，漫画等について口頭で説明させる，あらかじめ題を与えておいてスピーチを用意させる，二人ずつ組んである特定の事項について（または，視覚教材を見ながら）会話をさせるなどの形式をとる。これらの結果をテープに録音して採点する。発音，アクセント，文法，内容や応答の適切さ，発話の量等の基準を決めて採点するわけであるが，できれば，複数で採点に当たる方が望ましい。ウィットに富む会話力を持つ学習者もおり，発話の「質」も無視できないので，決められた採点基準に当てはめられないことも往々にしてある。このような場合には，採点に当たった者の判断が大いに参考になるか

らである。

e．クローズ・テスト（Cloze Test）

　クローズ・テストは，言語に関する総合的な能力を測定するための
テストとして，注目されるようになった。これは，ある文章中の語を
特定の間隔で抜いて出題し，その抜いた語を入れさせる形式のテスト
である。伊藤弘子（「Cloze Test」，『英語教育』1978年5，6，7月号）
の紹介している作成手順を要約すると，次のようになる。

　（1）テストを受ける学習者のレベルより易しくて，内容にまとま
　　　りのある文章をみつける。

　（2）何語おきに抜くかは作成者の自由であるが，手掛かりに必要
　　　な情報量，文章の長さ，テストの所要時間等を考慮して適宜間
　　　隔を決める。

　（3）決められた間隔毎の語に印をつけてゆき，固有名詞や数字な
　　　どにあたっていたら，そこだけ一か所前後にずらす。文脈全体
　　　から手掛かりを得にくい語に多くあたる場合には，最初に抜く
　　　間隔をずらして始める。試したい部分が空白になるような問題
　　　文ができるまで，何度か試みに抜いてみればよい。

　（4）冒頭部には，完全な文を3-4文つけて，何についての文章か
　　　を把握させる必要がある。

　1時限中に与えられる長さから考えて，6-7語の間隔をあけ，信
頼性の点から見て（cf.池田央，1978，p.98），30-40程度の空白を持っ
たテストが実用的であると言われている。

　採点方法には4種類ある。どの方法をとるかによって，採点基準は
主観的にも客観的にもなりうる。

　1．Exact Word法
　　　　原文通りの語が記入されていれば正解とし，他はすべて誤答
　　　　として扱う。

2．Expert 法

　　文脈にも合っており，語法的にも意味的にも正しい語が記入
　　してあれば，原文通りではなくても正解とする。母語としな
　　い採点者にとっては難しい採点方法であり，母語とする採点
　　者にとっても適切さの許容範囲の問題が残る。

3．Criterion 法

　　その言語を母語とするグループ（Criterion group）の結果
　　を基準にして採点する方法で，Criterion groupと受験者の
　　答えの種類と頻度数とを比較し，Criterion groupの頻度数
　　に応じて配点を決める。情報理論のエントロピーの考え方に
　　基づいた採点法で複雑な計算を必要とする。

　　Criterion groupの答えのうち，Expertに認められたものの
　　みを残し，その頻度数から配点を算出して与える。

　以上のうちExact Word法は最も簡単で時間もかからない上に，他
の採点法との相関も高いと報告されている（伊藤弘子，1978）。

　英語教育ではかなりの研究例が報告されており，このテストは聴解
力と高い相関を持つとされている。

　日本語教育においては，まだあまり試みられていない。抜くべき
「語」の単位をどうするか，漢字の含まれる率との関連もあり，文章
の難易度をどう捉えるかなど，研究すべき点が多い。

　私の試行経験からは，30-40 の空白を作るためにはかなり長い文を
用意しなければならないこと，数回の試みでは力のある学習者とそう
ではない者との間に得点上の差があまり出なかったこと，空白によっ
ては入れる語が選択の余地のあるものとないものとに分かれこれを同
じに扱ってよいかどうか疑問を持ったことなどが挙げられる。

第4節　テスト作成上の留意点

I．一般的な留意点

（1）再生か再認か

　語学テストの作成に当たっては，その事項が自分で使えなければいけないのか（再生），ただ理解さえすればよいのか（再認），を明確にしておかなければならない。再生を要求するのであれば，テストの所要時間や採点方法をにらみあわせた上で，記入式にすべきである。例えば，漢字の場合には，読めるか，意味が分かるか，他の漢字と識別できるか，使い分けができるかは，多肢選択形式で確かめられるが，書けるかを知るためには，どうしても書かせてみることが必要となる。再生を要求する事項と再認のみできればよい事項とは，始めから学習者に知らせておく方が親切である。教科書によっては，書けなくてもよい漢字は，本文中に振り仮名つきで提示してある。

（2）かたよりのない出題

　出題範囲を設定したら，その中から全般に渡ってかたよりのないよう出題する。範囲はあまり広くするよりも，むしろ狭くして，その範囲だけは確実に勉強させる方が効果的なようである。

　できる学習者とできない学習者のために難易取り混ぜて出題する。最も望ましいのは，正答率が20から80％で弁別指数（できる者とそうでない者とを振り分ける力）が0.4以上の問題とされている。

（3）問題数と所要時間

　問題数は多めにして，たった一問間違ったために全体の得点が大幅に下がるのは避けた方がよい。各問は独立させ，前問が解答できないとそれに続く問題にも答えられないような出題方法も避ける。

　外国人学習者が日本語を書くためには，非常に時間がかかる。従って，記入式の問題はあまり数多くできない。また，人数の多い場合には，採点方法も前以て考慮しておかねばならない。選択式の選択肢の

数と問題数はテストの信頼性（そのテストをいつ行っても同じ結果が得られる）に密接に関連してくる。このようなことから，出題形式，問題数，所要時間はテストの目的と考え合わせて巧くバランスをとらねばならない。

　配点もあらかじめ問題の脇に示しておけば，学習者は点のとりやすい問題から片付けていくことができるし，採点者にとっても便利である。

（4）一問題に一要素

　正解はできるだけ一つにし，一つの問題には一つの要素しか含めないようにする。これは，誤答の原因を明確に知るために役立つ。例えば，聴解力テストの解答の選択肢に漢字を使うときには，ルビを振るようにしなければ，誤答の原因が聞き取れなかったためなのか，漢字が読めなかったためなのかはっきりしなくなる。

（5）例題を与える

　文法用語の使用はできるだけ避け，その代わりに例題を与えて，何が求められているかを具体的に示す。質問に答えさせる場合も，どの程度詳しい答えを要求しているのかを例題で示しておく。特に一番はじめのテストでは，学習者が教師の出題傾向に慣れていないので，この種の配慮が必要である。できるだけ詳しく答えようとして，一問の答えに必要以上の時間を費やすために時間切れになる学習者をよく見かける。

　指示の言葉も簡単に且つ，誤解の余地がないようにする。指示の言葉が分からないために解答できない場合も意外に多いので，指示の言葉の理解もテスト対象にするのか，試験監督者が説明してもよいのかをあらかじめ伝えておくようにする。これも例題を与えておけば防げる。

（6）簡単な出題形式

　出題形式はあまり複雑にしない方がよい。解答方法を間違えたため

に減点される例もよくある。また，誤答の原因を出題形式の複雑さの
せいにして文句を言ってくる学習者もいる。簡単な形式の問題の方が
実力は案外はっきりするようである。例えば，漢字テストであれば，
文中のカタカナ又は傍線部分を漢字に直させる形式が結局は最も簡単
で且つ，実力もよく分かる。

　テストの信頼性も関わってくるが，出題形式の異なる問題を少しず
つ出すのもあまり意味がない。100問のテストであれば，各形式ごと
に10題はほしい。

（7）語学力か文化についての知識か

　語学コースのテストであるかぎり，日本語の使い方に直接関係のあ
る設問をすべきであるが，日本文化や日本社会に関する知識がなけれ
ば答えられない問題をつい，それとは気づかずに作りがちである。例
えば，「絹のような小雨が降っている。」という文を読ませた後で，季
節はいつかを問うような問題は，日本の春について知っていなければ
答えられない。醬油や砂糖を買う会話を聞かせ，会話の行われた場所
を問う問題も，これらの商品は酒屋で売っているという日本の社会生
活に関する知識を前提にしている。日本語に関する知識にしても（例：
自・他動詞を区別させる），それが分からなければ日本語が正しく使
えないことを示す問題のみに限り，文法的説明を求めるような質問は
避ける。

（8）既習項目と未習項目

　既習の事項について試すのであれば，当然のことながら未習事項は
含めない。初級レベルでは，うっかりして未習の語彙を使ってしまう
こともあるので十分注意する。中級レベル程度の聴解力，読解力であ
れば，既習事項のみ試すことはある意味では記憶力のみを試すことに
なる。このレベルでは，クイズは既習事項について，期末のような大
きいテストでは未習事項も含めるといった工夫をしないと，本当に
「聞く」力，「読む」力がついたかどうかは試せない。

2．テスト毎の留意点

（1）聴解力テスト

　純粋に聴解力のみに頼った解答方法にしなければならない。従って，解答用の選択肢も音声で与えるとか，絵を利用するとかの工夫が必要となる。選択肢も音声で与える場合には，所要時間と問題数の関係が他のテストよりも問題になる。疲労の影響も考慮し，あまり長いテストは避けなければならないからである。信頼性の高い聴解力テストを作成するには，どうすればよいかは今後の課題である。聴解力はどのような過程を経て発達するのかという基本的な点もまだ明確にされていない。

　音の聞き分けのためにミニマル・ペアがよく使われるが，これは適性テストにはなるが，日本語力を試すことにはならない。耳がよければ，日本語を全く知らなくても高い点がとれてしまう。

（2）漢字テスト

　前述したように受験者が多い場合には採点を機械にまかせるために漢字テストにも多肢選択式設問が取り入れられてきている。しかし，これでは，漢字の使用法の理解はためせても，果たしてきちんとした字形の字が書けるかどうかは分からず，やはり記入式をとらざるを得ない。

　字形の許容度は人によって異なるので，漢字の書き方テストの採点は，できれば，複数の教師が当たる方がよい。旧字体は，日本でも使用する人がいるという理由で，訂正するが減点はしないという態度をとる教師が多い。しかし，若い世代の教師は旧字体を知らないため，誤りとしてしまう。このような場合も一貫した採点基準を事前にきめておかねばならない。文中の語句を漢字に書き直す形式で出題されることが多いが，文そのものは，できるだけ簡単にしておく。

　漢字の読み方を試すテストの方が多肢選択式にしやすい。同じ読み方の漢字を選ばせればよいからである。記入式の場合には表記の誤り

をどう取り扱うかを決めておく。表記も日本語力のうちとして点を引く考え方と，漢字力とは関係ないとして訂正はするが採点の対象とはしない考えとがある。

（3）文法力テスト

　文法項目毎にまとめて出題し，問題数もできるだけ揃えて，すっきりした形式にしておかないと，形式の差が結果に影響を及ぼすこともありうる。配点もあまり複雑にしない方がよい。統計的に処理するつもりであれば，一問一点にしておく。

（4）長文読解力テスト

　読ませる長文の難易度，内容，長さ等はよく吟味しておく。外来語は意外に結果に影響を与えやすい。長い文を読ませたのに，設問はほんの僅かという問題をよく見掛ける。長い文を読ませるのであれば，その努力及びそれに要した時間に見合うだけの質問を作り，色々な角度から内容の理解を問う方が親切である。

第5節　採点上等の留意点

1．明確な採点基準

　教師は，当然のことながら，採点方法や基準について明確な説明をする責任がある。日本語教育では，この責任はことさら強く追及される。何回も述べてきたように，外国人学習者には，成績に敏感にならざるを得ない立場の者が多いからである。誤答は赤鉛筆で（又は，学習者の用いた物以外の筆記用具で）訂正し，足りない部分は補う。無記入の（　）にはきちんと正答を記入しておく。正解を示す意味でも，後のゴタゴタを防ぐ意味でもこのような配慮は役に立つ。

2．正答の再検討

　同じような誤答が多い場合には，もう一度正答を検討してみる必要

がある。全く思いがけない思考方法を学習者がとり，その答えでも正しい解釈が成立することもある。誤りであっても，何故これほど多くの者が間違えたのかを探れば，教授法改善の参考になる。優秀な学習者が考えすぎた結果，教師の望むような解答をしないこともままある。特に年長者には，この傾向が見られる。

　漢字の字形などは，日本人が筆の勢いでつきぬけてしまうところを外国人学習者は，筆圧を均等に保って書くので，日本人が見るとどうしても正しい形とは認めがたくなってしまう。このように，必要な「要素」は揃っているが……という場合の処理が最も難しい。減点するか，訂正のみにとどめるかも，全体を通して矛盾のないようにしておく。

3．KR情報……正答を直ぐに与える

　正答はできるだけ早く与えるようにする。黒板やOHPなどの利用，解答用紙を回収後，同じ用紙をもう一部ずつ配布し，その場で，正しい答えを確認しながら記入させる，正答を記入した答案用紙を掲示板にはるなどの方法がとられている。

　教育学では，学習者に自分の反応の結果を報せることをKR（Knowledge of Results）情報を与えるといい，学習の強化を促進する教授技術の一つとして重視している。

4．追試を認めるか

　追試を認めるかどうかは，上司や同僚とあらかじめよく相談しておく。機関としての規定があるのであれば，印刷して学習者に学年始めに配布しておくとよい。テストを受ける準備ができていないからとか他のコースの試験が同じ日にあるから追試をしてほしいという申し出は非常に多い。日本であれば，旅行やアルバイトのためという理由すらある。これも，他の学習者と比べて不公平にならないような措置を講じなければならない。教師によって違う態度を示すのも不満のもと

となる。理由を問うても何にもならないので，追試はいかなる理由でも得点の10%引きとする規則を設けたり，テストは追試を認めるが，クラス毎に行われるクイズは認めないなどの対策を立てている例もある。

5．カンニングの責任

カンニングに対しては，甘い態度は取らない方がよい。カンニングを見過ごしたのは教師の怠慢であり，公平さを欠くという解釈も成立する。隣を見る，隣に聞く，机上にあらかじめ書いておく，書いた紙を手の中にまるめて持つ等，方法は千差万別，国によっては日常茶飯事で罪の意識もない。事実を認めるどころか，教師を非難する態度に出る者すらいる，と言うより，その方が多く，かけ出しの教師は泣かされる。

6．テスト結果が成績に占める割合

学期末や学年末の成績に各テストやクイズがどの程度の割合を占めるのかをあらかじめ知らせておくとよい。出席点をどうするかもコースが始まる時にはっきりと知らせておく。

7．成績判定の実際

成績には実力の他に出席状態や宿題の提出回数といった平常点が普通加算される。実力は十分あっても試験のときしか出てこなかった学生と，一生懸命勉強したが実力はあまりつかなかった学生の成績をどうするかは教師にとって頭の痛い問題である。成績は実力の程度を示すものとする考え方と，学んだ記録であるから学習態度も反映させるべきであるという意見はしばしば成績判定会議で対立する。語学の勉強はこつこつとやることが大切であることを示すための方策として，どこでも出席状況は成績に加味されている。全出席時間の三分の一以上休んだら自動的に失格させる例が多い。実際上，その位休んだらク

ラスにはついてこられないはずである。

　無責任に甘い成績は考えものである。連続しているコースに進むの
であれば，結局学習者自身がいつか壁に突き当たる。初級レベルを繰
り返してでも基礎をしっかり固めておけば上級になって困らなかった
かもしれないのに，初級レベルで甘い点を貰って上に進んだため，ど
のコースでもどんじりの成績をとり，最後のコースを落とす例もまま
見られる。このレベルになってから同じコースを二度とっても基礎が
弱くてはあまり効果はあがらない。

　また，公立の教育機関への受け入れに際して「選抜」を禁じている
国では，各コースの評価が重視される。

　最後のコースの成績は重要である。外部に対する責任も問われるか
らである。A機関の「A」はB機関の「D」に当たるとかC機関の
「A」は信用できないといった評判をたてられる恐れがあり，よい学
習者が集まらなくなることもあり得る。

　入学，転校，就職のために日本語力についての推薦状を依頼される
ことがしばしばある。外国の大学や企業のための推薦状は日本式の書
き方ではなく，どんなコースをとったか，推薦者とはどういう関係
か，語彙や漢字や文法についてどの程度の力があるかを具体的に書
く。これも無責任なことを書くと後が続かない。実力がありながら他
の理由で低い成績がついている場合やその反対の場合は推薦状で説明
することができる。

　アメリカの大学では，この推薦状をめぐる訴訟事件が過去に何回も
起こった。現在では，被推薦者には自分に関する推薦状を見る権利が
確保されている。アメリカの大学関係者によれば，最近は，推薦状に
書くべき事項で何が書かれていないかを注目するそうである。

第6節　テスト結果の処理

I．統計的処理

　統計の素養のない者にも電卓やコンピューターの普及でかなり複雑な統計的処理が可能になってきている。自分でプログラムを書かなくても既製のものが使え，簡単に分析結果が得られる。ここでは，一般に用いられるテストの統計的な処理について述べる。詳しい計算方法については統計学の本を参照してほしい。

（1）代表値

　あるグループの得点分布の中心がどのあたりにあるかを示す値。平均値が最も一般的であるが，中央値，最頻値も使われる。

　中央値＝得点を順に並べた時，受験者の50％目にあたる得点。

　平均値＝得点の総和を受験者数で割った点。

　最頻値＝最も多くの者がとった得点。

例：	級区間の上端	度数	累積度数
	10	2	2
	20	3	5
	30	9	14（最頻値）
	40	5	19
	50	1	20

　　中央値＝成績の上位から10番目の者の得点

$$\mathrm{Md}=20+\frac{(30-20)(10-5)}{14-5}=25.56$$

　　平均値

$$\mathrm{M}=\frac{10\times2+20\times3+30\times9+40\times5+50}{20}=30$$

（2）散布度

　得点のちらばりを表す。得点範囲（レンジ）と標準偏差がよく使わ

れる。標準偏差は平均値からの隔たりを表し，例えば平均値は同じで
も，標準偏差が小さければ，そのグループには同じ程度の力の者が存
在していることが分かり，大きければ学力の異なる者の集団であるこ
とが分かる。

（3）得点の種類

　素点（粗点とも書き表す）＝採点されたままの得点。

　標準点＝標準化された得点。同じ尺度上での比較に使われる。種々
　　の標準点があるが，T得点，いわゆる偏差値がよく使われる。偏
　　差値に変換すると，常に平均値は50，標準偏差は10となる。同一
　　の受験者の異なるテストの結果を比較する時に便利である。

$$偏差値＝\frac{素点－平均値}{標準偏差}×10＋50$$

　例えば，同じ受験者が満点の異なる幾つかのテストを受けた場合，
困難度の異なるテストを受けた場合など，標準点に換算してその結果
を比較する。

（4）相関

　テスト結果の相互の関係を知るには，相関係数を求める。例えば，
幾つかのテストをした場合，どのテスト得点の高い者が総合点も高い
かを知りたいときには，総合点と各テスト得点との相関係数を求めれ
ばよい。Aテストと総得点との相関が高ければ，Aテストができた受
験者は総得点も高いわけで，言い換えれば，Aテストの結果が総得点
に最も寄与していることを示している。漢字力が日本語能力のどの側
面を支えているかを調べるには，漢字テストの結果と他の日本語力に
関するテスト（聴解力テスト，助詞テスト等）結果との相関係数が手
掛かりとなる。どの程度をもって相関有りとするかは意見がわかれる
が大体次のような目安がたてられる。

相関なし　　〜±.20

低い相関あり　±.20〜±.40

かなり相関あり　±.40〜±.70

相関が高い　±.70〜

　ＡテストとＢテストの相関が高ければ，Ａテストの結果からＢテストの結果は予測できることになる。その割合は相関係数の二乗（決定係数と呼ばれる）で表される。Ａ，Ｂテスト間の相関係数が0.9であれば，Ｂテストの81％はＡテストの結果から予測できるわけである。

（5）項目分析

　手順については「テストの改良」の項で述べる。項目分析結果を出すことによってテストそのものが測定手段として適切であったかどうかが示せる。

（6）因子分析

　テストの下位問題（例えば，助詞に関する問題，活用に関する問題，長文読解問題等）間に共通して働いている潜在的要素を知りたいときには，因子分析を行う。種々の分析方法があるが，目的に応じて主因子法やバリマックス法などが多く使われている。

　次頁に示すのは英語話者，中国語話者，韓国語話者別に同一テストを実施し，因子分析を行った結果をまとめたものである（石田敏子，1986）。

　英語群では3因子，中国語群では2因子，韓国語群では1因子が抽出されている。バリマックス法による表で，各語群の各因子毎に負荷量の高い下位問題を見ていくと英語群の第Ⅰ因子の欄では，助詞，活用，構文，聴解，自・他動詞問題の負荷量が高い。第Ⅱ因子では，漢字の書き方，漢字の読み方，語彙問題，第Ⅲ因子では，長文読解の内容を問う問題とやはり長文読解の主語についての問題の負荷量が高くなっている。第Ⅰ因子では，文法に関する問題の負荷量が高くなって

A　因子分析（主因子法）

語群　因子　下位問題	英　語　群				中　国　語			韓国語群	
	I	II	III	共通性	I	II	共通性	I	共通性
聴　　　　解	.575	−.290	−.079	.421	.716	.050	.529	.696	.508
漢　・　読	.725	.471	.079	.753	.641	−.090	.419	.830	.746
漢　・　書	.393	.652	.292	.666	.716	−.205	.554	.737	.677
語　　　い	.599	.512	−.093	.631	.600	−.154	.384	.677	.454
助　　　詞	.614	.317	.390	.630	.613	−.126	.392	.642	.432
活　　　用	.683	−.362	.140	.617	.823	−.152	.700	.813	.642
構　　　文	.790	−.246	−.047	.686	.895	−.040	.802	.868	.706
自・他動詞	.513	−.225	.150	.337	.661	−.017	.437	.506	.289
長文読解（主語）	.569	.020	−.242	.383	.518	.398	.427	.618	.404
〃（内容）	.592	.004	−.521	.622	.343	.886	.903	.522	.288
個　有　値	3.775	1.338	.633		4.487	1.060		4.911	
寄　与　率	37.7	13.4	6.3		44.9	10.6		49.1	

B　因子分析（バリマックス法）

語群　因子　下位問題	英　　語			中　　国		韓　　国
	I	II	III	I	II	I
聴　　　　解	.528	.016	.376	.662	.302	.696
漢　・　読	.277	.763	.307	.632	.142	.830
漢　・　書	.040	.813	−.053	.742	.060	.737
語　　　彙	.090	.688	.386	.616	.067	.677
助　　　詞	.780	.145	−.001	.619	.098	.642
活　　　用	.742	.070	.249	.823	.147	.813
構　　　文	.668	.165	.462	.852	.277	.868
自・他動詞	.551	.104	.148	.625	.217	.506
長文読解（主語）	.278	.223	.506	.345	.555	.618
〃（内容）	.179	.143	.755	.010	.950	.522

（『日本語教育』58号，pp.186-187より）

いるので，この因子は文法に関わる力と見てよいであろう。第II因子では，漢字と語彙に関する問題の負荷量が高い。この語彙問題に漢字がかなり含まれていたことから考えてこの因子は漢字に関わる力，同様に第III因子は長文読解力と解釈して差し支えないであろう。このテストで測られた英語群の日本語力はこの三種類のそれぞれ独立した力に支えられていることが分かる。中国語群の第I因子は活用と構文問題の負荷量が高いので文法力，第II因子は長文読解問題の負荷量が高いので長文読解力とも思えるが，第I因子では漢字の書き方，聴解，漢字の読み方，自・他動詞，語彙問題の負荷量も高い。漢字の読み書き問題が平仮名を使った出題形式で日本語の語彙の知識も関係することから，第I因子は中国語の応用のきかない種類の力，第II因子は中国語の漢字の知識が活用できる力とも解釈される。韓国語群は一因子を得たのみである。しかし，寄与率を見ると，英語群では合計して57.4，中国語群では55.5と約60％近くがここで得られた因子で説明されているのに対し，韓国語群では，50％弱がこの因子で説明されているのにすぎない。同群の自・他動詞，長文読解問題の共通性が低いので，これらの問題についてはもっと他の因子が関与していることが推察される。

　下位問題間の相関を調べるだけでも問題相互間の関係はかなり分かるが，このように因子分析をしてみると，潜在的な関係が浮かび上がり，言語群によって日本語力の因子構造は異なることが分かる。また，英語群では，総合的な日本語力を育てるためには文法，漢字，長文読解力をそれぞれ伸ばすような教え方をしなければいけないこと，中国語群については，長文読解力は別に教えた方がよいこと，韓国語群は極端に言えば，文法力のみを伸ばしても総合的な日本語力がつくことなど，教授法に関する示唆も得られる。

２．誤答の分析

　学習者の誤答は，学習過程を知るためにも，教授法改善の手掛かり
としても，有益な示唆を含んでいる。誤答の原因を追究することは，
日本語そのものの解明にもつながる。

　ただ単に誤答を集めその原因を推察するだけではなく，学習者の母
語別，学習レベルや成績別，誤答の頻度等の他に，なぜ間違えたかを
学習者に問い，学習者の内省をも含めた組織的な処理を行わなけれ
ば，日本語学習過程は浮かび上がってこない。

　現在の外国語教育研究の分野では，誤答を学習レベル別に分析し，
各レベル毎に共通して見られる誤答を含む「言語体系」を「中間言
語」と呼んで学習過程の研究や教授法改善の手掛かりとして積極的に
利用する傾向が見られる。

第７節　テストの改良

　テスト問題は，良い問題を残し，適当ではない問題を改良していけ
ば，毎回作らなくてもすむ。テスト問題の良否を知るためには，次の
ような方法がある。コンピューターを使用すれば，それほど難しくな
い。

１．項目分析

　これは，各問の難易度と弁別度（できる者と出来ない者とをはっき
りと分ける力）を使って各問の適切さを調べる方法である。難易度は
正答率（正答をした者の割合）で表される。弁別度は弁別指数又は点
双列相関係数を使って表す。弁別指数は得点の高い方から並べた全体
の27％のグループ（上位27％群）の正答率から得点の低い方から並べ
た27％のグループ（下位27％群）の正答率を引いたもので，点双列相
関係数は各問と総得点との相関係数である。グラフ上の横軸に正答
率，縦軸に弁別指数又は点双列相関係数をとり，各問の番号を記入し

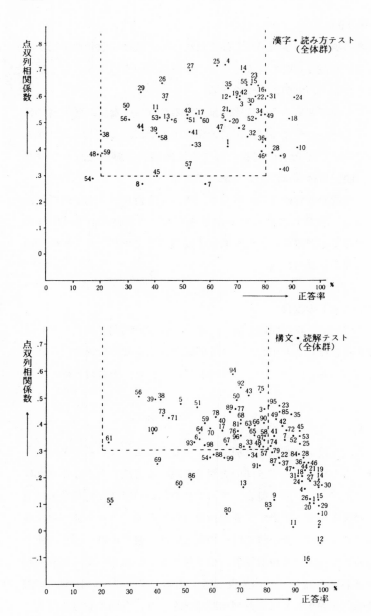

たものが項目分析一覧図で，各問の良否が一目で分かる（前頁図）。
正答率が20-80の間にあり，弁別度が0.4以上の問題が良好とされている。数字は問題の番号を表す。

　　良好な項目＝正答率20～80,点双列相関係数＞.4

　　難しすぎる項目＝正答率＜20

　　やさしすぎる項目＝正答率＞80

　　弁別力のない項目＝点双列相関係数＜.4

　前頁の例では，点線で囲まれた部分にある問題が一応良好な問題とみなされる。点双列相関係数が0.3から0.4の間の問いは準良好問題とされる（池田央，1978，p.124）。ここでは検討の要がそれほど強くないというところから，0.3以上を良好問題として扱っている。両テストの問題を分類してみると次のようになる。

	漢字の読み方テスト	構文・読解テスト
やさしすぎた項目	12%	44%
良好な項目	82	43
難しすぎた項目	3	0
弁別力のない項目	3	13

　漢字の読み方テストは今回の受験者にとってはやややさしいテストだが，良好な問題項目が80％をこえており，一部を改良するだけで再度使用できる。構文・読解テストは易しすぎて弁別力のない項目がかなりあり大幅な問題の入れ替えが必要である。

２．解答パターンの分析

　各選択肢を選んだ学習者の率を調べ，問題のある選択肢を改良していく。特に正答肢よりも誤答肢を選んだ率の方が高い場合には，その問いにはなんらかの問題が潜んでいるはずである。理想的な問題であ

れば，上位群から下位群にかけてじょじょに正答率は低くなってい
く。

例1：聴解力テスト結果の例。先に与えた文と同じ意味を持つ選
　　　択肢を選ばせる問題。
　　そんなことを言おうものなら，彼はどんなに怒るかしれたもの
　　ではない。
　　1．そんなことを言おうとすれば，彼は大変怒るだろう。16%
　　2．言おうとしたとたん，彼は大変起こりだした。　　　　8
＊　3．そんなことを言ったら，彼は大変怒るだろう。　　　26
　　4．そんなことを言ったら，彼は怒るかもしれない。　　46

　最後の数字は各選択肢が選ばれた割合を示す。第3選択肢が正答で
あるが，第4選択肢を選んだ者の方が多い。先に与えられた文の文末
の音「（怒る）かしれたもの（では）ない」にひかれて「怒るかもし
れない」という文末を持つ選択肢を選んだものと思われる。これと同
じ傾向が聴解力テストの全項目について見られた。

　　例2：　項目特性曲線

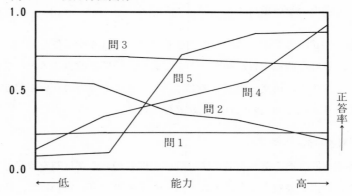

上の図は各項目ごとに正答率が能力の高いグループと低いグループ

ではどう変化しているかを示したものである。問 1 は，能力が高いグループでも正答率が伸びていない。これは，このテストが測ろうとしている能力に対して難しすぎるか，または何か問題を含む項目と見られる。問 2 は，能力の低いグループよりも高いグループの方が誤答が多い。これは選択肢に何か問題があるか，もしくは正答が正しくないのかもしれない。いずれにせよ改良が必要な項目である。問 3 は能力の低いグループも高いグループも同じように正答率が高い。このテストが目的としているものを習得していてもいなくても答えられる問題で，あまり出題の意味がない。問 4 は能力が高くなるにつれて正答率も高くなっており，望ましい型の曲線を描いている。問 5 はある能力水準をこえると急に正答率が高くなっている。問 5 で問われている事項が既習か否かが正答率に強く影響している。

　これと同じような曲線の描き方を各選択肢毎に調べても，選択肢の良否が分かりテストを改良するための手掛かりが得られる。下の図は，プレイスメント・テストの結果から適したクラスへの振り分け，選択肢の良否，学力レベル毎の選択パターンなどを知るために描かれた項目特性曲線である（稲垣滋子，「日本語テストにおける選択肢分析」，『Annual Reports』，国際基督教大学語学科，Vol.10, 1985, p.5）。

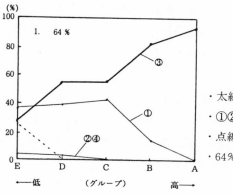

・太線は正解

・①②③④は選択肢

・点線は無答

・64％は全員の正答率

　この問題は「あしたまたここ（1.に　2.を　3.で　4.へ）あいましょう。」で正解は3である。誤答は「に」が多く，他の選択肢を選んだ者は殆どいなかったと報告されている。この図を見ると，E／D，C／B／Aのようにグループを分ければよいことが分かる。また，初級で学習する項目にもかかわらず，Cグループのレベルでは約半数ができていない。この手法は学力によるグループ分けの方法，グループ分けに適した問題か否か，選択肢の良否を知ることができる。また，どんな学習事項については学力が順調に伸びるか，どこでつまずくかが分かる。無答の曲線からは，どの段階までのグループが難しいと感じる問題かも明らかになり，テストの改良のためばかりでなく，教授法への貴重な示唆が得られるとされている。

3．S-P表

　S-P表というのは，テストの各問の正誤を0，1で記入し，問題を正答率の高い順に左から並べ，学習者を得点の高い順に上から並べて，S曲線（＝Student，達成度を表す）とP曲線（＝Problem，問題の難易度を表す）を書き込んだ得点一覧表である。テストの特性を評価する簡便な方法として注目されている。

　この表では，問題が出題意図に合っていたか，指導が適切であったか，学習者の得点や問題の難易度に極端な差がないかなどの他に，学習者の得点範囲及び問題の弁別力が一目でわかる。また，注意係数が簡単な公式によって求められるので，これを使って全体の傾向とは異質な問題や学習者を見付けることができる。

　S-P表作成機能を持つ機器も市販されているが，マイコンやワープロを活用することもできる。日本語教育では，クラスが比較的小さく，クイズを学期中に度々行うことが多いことから，このS-P表はもっと研究されてもよいであろう。

A．S-P表の例

P S	問題（左からやさしい順）										得点
	2	3	7	4	9	1	6	5	10	8	
7	1	1	1	1	1	1	1	1	1	1	10
5	1	1	1	1	1	1	1	1	1	0	9
9	1	1	1	1	1	0	1	1	0	1	8
4	1	1	1	1	1	1	1	0	0	0	7
10	1	1	1	0	1	0	1	0	1	0	6
2	1	1	0	1	1	0	1	1	0	0	6
14	1	1	1	1	0	1	0	0	0	0	5
1	1	1	1	0	1	0	0	0	1	0	5
13	1	1	0	1	0	0	1	0	0	1	5
6	1	0	0	0	1	0	1	0	1	1	5
15	0	1	1	1	0	1	0	0	0	0	4
11	1	0	0	0	0	1	0	1	0	1	4
3	1	0	1	0	1	0	0	0	0	0	3
8	0	0	1	0	0	0	0	0	0	1	2
12	0	1	0	0	0	0	0	0	0	0	1
正答数	12	11	10	9	8	8	7	6	5	4	

左側：生徒（得点の高い順）
右側：S曲線、P曲線

B．曲線の典型的パターン

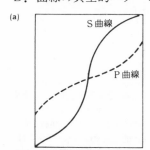

(a)　S曲線、P曲線

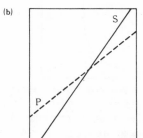

(b)　S、P

S曲線，あるいはP曲線の位置から，平均正答率は50%程度，と読み取ることができる．P曲線の形から，問題の正答率は80〜20%程度に分布している．S曲線はS字形で，中央部（得点率50%程度）の生徒がかなり多くいて，満点および0点に近づくにつれて少なく分布している．このようなパターンは，標準学力テストや実力テストなどで多く見受けられる．

平均正答率50%程度で，P曲線は斜めに直線的である．達成度の高い問題から低い問題まで，一様に分布していることが分かる．S曲線も斜めに直線的で，達成度（点数）の高い生徒から低い生徒まで，一様に分布していることを示す．このようなパターンの達成度テストは，達成度の個人差を識別する（達成度の順位をつける）ときに便利である．

(c)

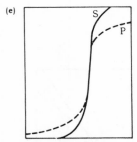

S曲線，あるいはP曲線の位置から，平均正答率は70〜75％．P曲線の形は，一部の少数の問題の達成度が，他にくらべて急に低くなっていることを表している．S曲線の形から，大部分の生徒は平均点前後の達成度に集中しているが，一部の下位の生徒の達成度が急に低くなっていることが分かる．

(d)

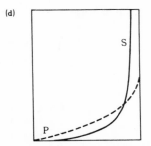

平均正答率80％程度．わずかの生徒たちの達成度がやや低い．プログラム学習などによく見られるパターン．

(e)

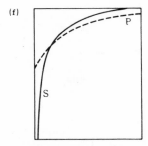

平均正答率60％程度であるが，P曲線の形が特異である．すなわち，クラス全体の達成度の高い問題群と，低い問題群が極端に分かれてしまっている．好ましくない例である．

(f)

平均正答率は25％前後．クラスの達成度は，すべての問題にわたって低く，生徒の達成度は，わずかの生徒を除いて非常に低い．このようなパターンは，プレテストなどの場合に見ることができる．

（佐藤隆博『S－P表の活用ー小学校編』明治図書，1982年，pp.12-13より）

第 8 節　テストの妥当性と信頼性

　学力や能力を測定するテストが物差しとしての機能を果たしているかどうか，その結果が信頼できるかどうかは，妥当性と信頼性で示される。教師自作テストをはじめ，プレイスメント・テストのように全員が受けるテストとか研究のために実施するテストであれば，その妥当性と信頼性が問われる。

Ⅰ．テストの妥当性

（1）内容的妥当性

　テストの内容的妥当性はそのテストの問題項目が測定しようとしている学習内容を偏りなく，適切に代表しているかどうかを表す。数量的に表す方法はないが，次のような点から検討できる。

　　a．テストの目標は指導目標から見て適切であるか。

　　b．指導すべき領域から重要な事項を偏りなく出題しているか。

　　c．問題の難易度は適切であるか。

　日本語教育用テストの場合，具体的には，1)使用する漢字，語彙，文法事項，文型等を市販されている教科書，日本語教育用基本語彙，常用漢字，新聞に含まれる漢字等に基づいて選び，普遍性を持たせる，2)日本人を対象に同じテストを実施して難易度を調べる，3)日本語教育の専門家に依頼して各問の適切さを調べるなどの方法が考えられる。

（2）基準関連妥当性

　基準関連妥当性は，テストの得点と他の信頼のおける尺度の成績との関連を統計的に求めて示される。普通，両者間の相関係数（妥当性係数）によって定められ，0.45以上必要であるとされている。他の尺度としては，知能検査，適性検査などがよく使われる。

　日本における日本語教育においては，他の外部基準となる尺度は求めにくい。学習者の言語的，社会的背景が異なるため，ある特定の検

査を実施することは困難だからである。言語的背景が同じであって
も，学習者が分散していることが多いので，日本語テストに加えて他
の同一テストを実施するのは難しい。学年末又は学期末の成績との関
連を調べることは可能であるが，成績には普段点，出席点などが加味
されているので，現在までの研究例では，ある特定テストとの関連は
低いという報告が多い。

（3）概念的妥当性

　抽象的，心理学的特性によってテスト結果がどの程度説明されるか
を問うもので，心理学的理論に従って立てられる仮説とテスト結果が
どの程度一致するかによって決められる。

2．テストの信頼性

　そのテストをいつ使っても，だれが実施しても常に類似の結果が得
られるかどうかを示すのが信頼性である。これは，信頼性係数によっ
て統計的に示される。信頼性係数の求め方には次のようなものがあ
る。

（1）再テスト法

　同じテストを同じ学習者にある期間をおいて2度実施し，両得点間
の相関を求める。実際には，期間をどの位おくかは簡単ではない。あ
まり近くては，記憶の影響があり，あまり離れていては，学習が進
み，前回とは条件が異なってしまう。

（2）平行テスト法

　あるテストとその代替テストを同一の学習者に同時に実施し，両得
点間の相関係数を求める。等価の問題を選ぶためには，前述した項目
分析の結果を参考にすればよいが，現実的には等価の代替テストを作
るのは難しく，これもあまり実際的ではない。

（3）折半法

　あるテストを実施し，奇数番号の問題の得点と偶数番号の問題の得

問題項目数と選択枝の数と信頼性係数
（予想範囲）の関係

問題項目数	選択枝の数						完成式
	2	3	4	5	7	10	∞
1	.03〜.07	.04〜.11	.05〜.14	.06〜.15	.07〜.18	.08〜.20	.10〜.25
2	.06〜.13	.09〜.20	.10〜.24	.12〜.27	.13〜.30	.15〜.33	.18〜.40
3	.08〜.18	.12〜.27	.15〜.32	.16〜.35	.19〜.39	.20〜.43	.25〜.50
4	.11〜.24	.16〜.33	.19〜.39	.21〜.42	.23〜.46	.25〜.49	.31〜.57
5	.13〜.28	.19〜.38	.22〜.44	.25〜.48	.28〜.52	.30〜.55	.36〜.63
6	.15〜.32	.22〜.43	.26〜.49	.28〜.52	.31〜.56	.34〜.59	.40〜.67
7	.17〜.35	.25〜.47	.29〜.53	.31〜.56	.35〜.60	.37〜.63	.44〜.70
8	.19〜.38	.27〜.50	.32〜.56	.34〜.59	.38〜.63	.40〜.66	.47〜.73
9	.21〜.41	.30〜.53	.34〜.59	.37〜.62	.40〜.66	.43〜.69	.50〜.75
10	.23〜.45	.32〜.56	.37〜.61	.40〜.65	.43〜.68	.46〜.71	.53〜.77
20	.37〜.61	.48〜.71	.54〜.76	.57〜.78	.60〜.81	.63〜.83	.69〜.87
30	.47〜.70	.58〜.79	.63〜.83	.66〜.85	.69〜.87	.72〜.88	.77〜.91
40	.54〜.75	.65〜.83	.70〜.86	.72〜.88	.75〜.90	.77〜.91	.82〜.93
50	.59〜.79	.70〜.86	.74〜.89	.77〜.90	.79〜.91	.81〜.92	.85〜.94
60	.64〜.82	.74〜.88	.78〜.90	.80〜.92	.82〜.93	.84〜.94	.87〜.95
70	.67〜.84	.77〜.90	.80〜.92	.82〜.93	.84〜.94	.86〜.94	.89〜.96
80	.70〜.86	.79〜.91	.82〜.93	.84〜.94	.86〜.94	.87〜.95	.90〜.96
90	.73〜.87	.81〜.92	.84〜.93	.86〜.94	.87〜.95	.88〜.96	.91〜.97
100	.75〜.89	.82〜.93	.85〜.94	.87〜.95	.88〜.96	.89〜.96	.92〜.97
0.9の信頼性を得るのに必要な問題項目数	120〜300	70〜200	60〜160	50〜140	40〜120	40〜110	30〜80

（池田央『テストの科学 試験にかかわるすべての人に』日本文化科学社, 1992, p.88)

点との相関係数を求め，更にスピアマン・ブラウンの公式によって修正する。

（4）クダー・リチャードソンの方法

　あるテストを実施し，得点分散，各問の正答率などからクダー・リチャードソンの公式を使って求める。

　3，4はコンピューターを用いれば簡単に求められる。他にクロンバックのα係数も信頼性を表すものとして使われている。これもコンピューターで求められる。

　信頼性係数はどの位高ければよいかは，学者によって意見が異なる。個人についての決定に用いる場合には，少なくとも0.85以上，集団についての決定に用いる場合は0.65程度を一般的な目安とする意見もある（橋本重治，1976，p.169）。

　テストの信頼性，テスト形式，問題数とは密接な関係がある。前頁の表はそれを示したものである。

参考文献

（1）池田央（1973）『テストII，心理学研究法8』，東京大学出版会.

（2）―――（1978）『テストで能力がわかるか』，日経新書287.

（3）―――（1980）『新しいテスト問題作成法』，第一法規.

（4）―――（1992）『テストの科学　試験にかかわるすべての人に』，日本文化科学社.

（5）石田敏子（1986）「英語・中国語・韓国語圏別日本語学力の分析」，『日本語教育』58号，pp.162-194.

（6）―――（1992）『入門日本語テスト法』，大修館書店.

（7）国立国語研究所（1979）『日本語教育の評価法』.

（8）佐藤隆博（1982）『S-P表の活用』，明治図書.

（9）日本語教育学会編（1991）『日本語テストハンドブック』，大修館書店.

（10）橋本重治（1978）『新・教育評価法総説』上，金子書房.

（11）肥田野直編（1972）『テストI，心理学研究法7』，東京大学出版会.

（12）Backman, L. F. (1990) *Fundamental Considerations in Language*

Testing, Oxford University Press.

(13) Darnell, D. K. (1970) "Clozentropy: A Procedure for Testing English Language Proficiency of Foreign Students", *Speech Monographs*, pp.37-1.

(14) Hughes, A. (1989) *Testing for Language Teachers*, Cambridge University Press.

(15) Lado, R. (1961) *Language Testing*, Mcgraw-Hill. 〔門 司 勝 他 訳 (1971)『言語テスト』, 大修館書店〕.

(16) Linn, R. L. ed. (1989) *Educational Measurement Third Edition*, National Council on Measurement in Education/American Council on Education 〔池田央他訳 (1992)『教育測定学』, C.S.L.学習評価研究所〕.

(17) Oller, J. W. Jr. (1979) *Language Tests at School*, Longman.

第18章　視聴覚教材の利用

　直接法に近い教え方を余儀なくされる場合が多いこともあって，日本語教育では，視聴覚教材の活用が比較的さかんである。最近では日本語教育用視聴覚教育教材もかなり出回ってきた。

第1節　視聴覚教材の一般的特性

1．学習意欲を高め，動機づけを強化する

　言葉のみで説明するよりも具体性の高いものを示して感性的に理解させた方が学習効果も上がり，能率的でもあることは，だれもが経験している。この点は視聴覚教材の利用に関する種々の研究結果からも実証的に裏付けされている。

2．経験の限界を拡大する

　視聴覚教材は，時間，空間を超越した世界を提供する。現在の日本ではもう見られなくなってしまった昔の事物を映像を用いて示したり，古典の世界を再現したり，教師以外の人の声をテープ等により教室内に持ち込んだりすることができる。

3．現実を再構成する

　視聴覚教材は，学習者の理解を助けるために，表現上の技術を駆使して現実を再構成したり再配列したりして，多角的，具体的且つ総合的に示すことができる。言語の使われる場面を総合的に示したり，

「──テクル」，「──テイク」や「──（ニ）ナル」等の時間的推移の概念を特殊撮影等の技術によって具体的に提示することも可能である。

４．多数の人びとに共通の経験を同時に与える

視聴覚教材を使えば，多人数に一度に共通の経験を与えることができる。この特性は，例えば，自由会話の前に共通の話題を作り，学習者の積極的参加を促すために利用できる。

５．繰り返し利用が可能

視聴覚教材は，作るまでには多大の時間とエネルギーを必要とするが，一度作っておけば，何回でも繰り返し同じ条件で利用できる。録音テープによるテストや多量のドリル等はこの特性を利用したものである。良い教材を作っておけば，経験の浅い教師にまかせても，ある程度のレベルを保った授業が可能である。漢字のクラスでも筆順をTP（オーバーヘッドプロジェクター用の教材）のような視覚教材を用いて示せば，それを提示している間に教師は個人指導ができる。教師は教材作成，個人的指導，言葉の使い方を教えるといった機械にはできない役割にエネルギーをふりむけることができる。

第2節　視聴覚教材を利用する際の留意点

現在，視聴覚教材の利用は教育工学の分野で論じられている。教育工学では，教育を広い視野にたって捉え，学習過程を細かく分析する。それを再構成して目標達成にいたる授業計画をたてる。視聴覚教材を利用する場合にはそれを授業過程のどこに位置づけるか，どう使うかをあらかじめ十分に検討し，さらに授業後には，反省し改善を加えることが大切である。具体的には，次のような点を考慮する。

１．利用する目的を明確にし，最も適した機器，教材を選ぶ

何のためにその機器，教材を使うか目的をはっきりさせておくこと

が重要である。ドリルを大量に与えたければ録音テープを，ある特定の表現が使われるシチュエーションを示したければ，VTR，スライド等をという具合に，目的にそって最も適した機器を選ばなければならない。また，学習者のレベルによって使用すべき教材も自ずから異なる。これは全く当然のことであるが，必ずしも守られてはいない。また，同一の機器，教材であっても，目的によっていろいろ使い方を変える必要がある。

2．利用の体系化

　前述したように，授業設計をしっかりとたて，授業全体の流れの中での視聴覚教材利用の位置づけを明確にしなければ，マイナスの効果を与えてしまうこともあり得る。よく見られるのが語学ラボラトリーの例である。近代的な立派な設備を持ちながら，語学ラボラトリーでの学習が他クラスと密接な関連を欠くために，その時間は普通教室での授業に当てた方がはるかに効果的である場合が度々見られる。

　カリキュラム全体の中での位置づけによっては利用法も異なってくる。例えばVTRをある課の導入部で利用するならば，細かい説明や理解の確認が必要であるが，まとめのために使うのであれば，むしろ，学習者に内容の説明を求める方がよい。

3．視聴覚機器，教材の限界を知る

　機器も教材も万能ではない。その機能に依存しすぎないよう注意しなければならない。例えば，文型練習のような機械的練習は録音テープにまかせられるであろうが，その文型をどう使うかはテープでは教えられない。また，学習者が自分の経験に基づいて答えるような質問もテープでは与えられない。したがって，テープ聴取の他に教師による用法に重点をおいた練習や応用練習を行わなければ，十分な教育をしたとは言えない。

　語学教育には不可欠と考えられるほど普及した語学ラボラトリーも

小クラスでは，普通教室でカセットテープを利用する方が利点の多い場合もある。

4. 教師の主体性を保つ

　視聴覚教材は教育の補助手段にすぎない。教師が主体性を失ってしまったらおしまいである。しっかりとした授業計画に加えて，教室内に持ち込む教材の種類や数，使用の段取り等，教材にふりまわされないよう十分な準備が必要である。

5. 作成のための時間を十分に見込む

　視聴覚教材の多くは自作が可能であり，一度作っておけば，繰り返し長期間利用できる。しかし，作成及び整備のためには非常に多くの時間を割かねばならないことはあまり理解されていない。例えばクラスでの使用に耐える30分間のテープ教材を録音するには，少なくともその3-4倍の時間を見込む必要がある。この点はまわりの人にもよく理解してもらうようにしないと仕事がしにくい。また，これだけ時間をかけて準備するからには，十二分に活用しなければもったいない。例えば，VTRを聴解用に使用するだけではなく，取り扱われている主題についての自由会話，作文，シナリオを利用した読解，漢字学習などに利用を拡大していく。

6. 学習者の参加を促す

　視聴覚教材を使用すると学習者は受け身になりやすい。教材はあくまでも学習者を触発するものでなくてはならない。教師は教材と学習者の仲立ちとなり，積極的に学習者の反応を引き出すようにする。例えば一連の会話テープつきスライド教材をテープを聞きながら見せるだけではなく，内容について教師が学習者に質問する，学習者同士で互いに質問させ答えさせる，各スライドについて学習者に説明させる，二人ずつ組にしてスライドについての会話をさせる，それを録音

し再生しながら講評を加えると同時に頻度の高い表現や間違いやすい表現の練習をするなど，この教材を基にした活動に参加させる。

第3節　各種の視聴覚教材

1. ゲーム・おもちゃ

　日本語学習者の年令の下限は下降しつつあり，小学校レベルでの教授法も研究されねばならないほどの状態になっている。楽しみながら日本語を学ぶ方法として，ゲームの利用が考えられる。いずれの場合にも，出来るだけ全員が参加できるよう配慮する。

a. カルタ，文字カード等

　文字，語彙，発音等を教える。出来るだけ全員が参加できるよう配慮する。そのためには，例えば，次のような工夫が考えられる。

○　普通のカルタ取りの方法で行うが，読み札も全員に配り順に読ませる。自分の読んだ札は取ってはいけない。

○　幾つかのグループに分け，読むグループ，取るグループと役割を決め，「源平」方式で行う。（人数の多い場合）

○　トランプの「神経衰弱」のように裏返しにしてまき，単語を作らせる。

　　同様に二組のカルタ（カード）を使い，同じ文字の組を作らせる。

○　真ん中に裏返しにして積上げ，一枚ずつ取ったら面に返し，卓上にある札（カード）と組合わせて単語を作らせる。

　　同様に二組のカルタ（カード）を使い，卓上の同じ文字の札と組を作らせる。etc.

b. トランプ，数カード等

　数を覚えるのに使う。数カードの中には，助数詞を教える目的のものもあり，これはそのまま使用できる。

○　一人にカードをめくらせて，他の一人，または全員に数を言わ

せる。一枚だけではなく，何枚か組合わせて大きい数も言えるように。じょじょにめくる枚数を多くしていくなどして，常にクラス全員の注意を引き付けるように工夫する。

　助数詞の練習には，自作カードが使える。数字を書いたカードと物を書いたカードを用意する。クラスを三等分し，数字カードをめくるグループ，物のカードをめくるグループ，両方のカードを見て助数詞をつけた数，例えば「3」と「自動車」の組合わせであれば，「さんだい」，を言うグループに分ける。役割を適宜換えて，どのグループが一番正しく言えるかを競わせる。さらに，「自動車が3台あります」といった文のレベルの練習へと発展させる。助数詞を使った場合の助詞の使用法をまちがえる学習者は多いので，文レベルの練習は不可欠である。また，「アル・イル」の使い分けの復習にもなる。

c．スゴロク等

　数，語彙の練習の他に文化的事項を教えるのに役立つ。サイコロの6までの数に限られる傾向が強くなりがちなので，X番へ戻る，進むなどの他に，各場面毎に番号をつけておき，それを言わせる，その場面の絵について説明させる，質問に答えさせる，他の学習者に対して質問させるなど各場面毎に課題をいろいろ考える。

　その土地の風俗，習慣，地理等に合わせて，教師が作ったり，学習者に作らせたりしたものを使用するのも面白い。

d．福笑い等

　ごく初期の語彙や表現の練習が自然な形でできる。目，鼻，眉など，事前に示して単語を教えておく。各部分の切り抜きを各自に持たせて，「これは何ですか」，「目です」というように目隠しをした学習者と何らかの質疑応答をしながら手渡させる。始めに教師が一つ渡して模範を示すとよい。これも中国のパンダとかオーストラリアのコアラのような各国のマスコットやアイドル的存在を使って自作できる。

e. その他

　典型的なゲームを取り上げてみたが，他にも多様な教育オモチャが市販されているので，その利用法を適宜考案すればよい。また，最近のコミュニケーションを重視する教育法では，学習者自身を言葉の使われる環境に立たせて練習を行う，いわゆる，ロールプレイやTPR（Total Physical Response）のような学習者を動かす教授法が盛んに取り入れられている。このような教え方では，小道具としておもちゃが使われている。

2. 実物・模型

　実物を教室内に持ち込む時には，あまり多くなりすぎないように，また，学習者の興味が言葉の学習よりも持ち込まれた事物の方へそれてしまわないよう注意を要する。多く持ち込みすぎて，必要な物を選び出す度に時間を消費し，学習者の飽きを誘う例は経験の浅い教師によく見られる。学習者の側から見て簡単明瞭な使い方が望ましい。

　たんに見せて理解を助けるためばかりでなく，練習のキューとして差し示せば媒介語を使用しなくてもすむし，時間の節約にもなる。前述したロールプレイの小道具としても使えるなど，上手に使えば，利用できる範囲は広い。

3. フラッシュカード・絵・写真等

　フラッシュカードは文字の練習用に使用したり，黒板上に並べて文型提示用に使われたりする。瞬間的な提示（例：文字の認識）のためにも便利である。

　絵は，事物の提示，文型の説明，文型練習や会話のキューとして用いる他に，絵を示して説明させる（会話やテスト用），何枚かの絵を示して話を作らせる（会話，作文用）等幅広く使える。

　普通の絵を使用する場合には，こちらの意図しているポイントがずれないように注意する。文化的背景や，個人的感受性の差などによ

り，思いがけない反応を得ることもあるので，テストに使用するとき
には，解答の許容範囲を広くとったり，なぜそのような解答をしたか
をどこかでチェックする措置を講じておく方がよい。この点からは，
線画の方が利用しやすい。現在では，線画教材も市販されている（海
外技術者研修協会，「初級レベル語学教育用絵教材」「新絵教材」）。漫
画を教材として使用する際には，文化的な差が出ることが予期され
る。日本人にとっては面白いことでも，他の文化的背景で育った人に
は全く面白くないことも往々にしてある。また，日本人の常識を基盤
にした面白さなので説明をしてもなかなか理解しにくいようである。

　週刊誌や折り込み広告の切り抜き等は同じ大きさの台紙に貼ると保
管しやすい。

　使用している教科書に出てくる事物の写真をフィルムの余った時に
少しずつとっておくと便利である。海外へ行くときには，絵葉書を
持っていくことを勧める。練習に使用する他に，壁の飾りなどにも使
えるし，「日本週間」といった催し物の時に重宝する。

　絵を一枚使用するだけでクラスは活気づく。できるだけ学習者に発
言させ，教師は絵を組織的，効果的に指し示す，ヒントを与える，訂
正するといった裏方に徹し，一人だけしゃべりまくらないように心が
ける。

　「文字」カードを使うか「絵」を使うかは，それぞれの機能をよく
考えて決める。「絵」は意味の理解を助けるので，意味の説明が省け
る。「文字」カードは発話を文字と結びつける必要のあるときとか，
構文，活用形を示すときなどに役立つ。

４．黒板

　黒板はたんに字を書くための板ではない。絵も描ければ種々の教材
を提示する場所にもなる。かならずしも教師が描く必要もない。学習
者に描かせて，その行為を中心とした練習もできる（例：使役や

「──テモラウ」,「──テクレル」etc.)。数を教える場合，数字を黒板上に書いて示せば，媒介語は全く使わなくても，また教師の説明がなくても完全に意味を理解させることができる。1から10ぐらいまではカードを使って練習し，1000以上は黒板を使うというように練習の種類や目的に応じて使い分けるとよい。磁石のついた「ボタン」を使って切り抜いた物や絵を簡単に板上にとりつけたりはずしたりできる黒板は国内では普通であるが，海外で普及しているとは限らない。

　黒板の板書には時間を要すること，その間教師は学習者に背をむけており，自分の書いている事項に対する学習者の反応がつかめないこと，すぐ消さねばならないこと等の限界があり，これらの短所を補うものとして，OHP（Overhead Projector）の利用が盛んになりつつある。

5．オーバーヘッドプロジェクター（OHP）

A．特性

　　a．画面が大きく明るいので，普通教室で利用ができる。

　　b．教師は学習者に相対しながら背後に資料を投影することになるので，学習者の反応を確認しながら授業を進めることができる。

　　c．画面に自由に加筆しまた修正できるので，黒板と同じように何回も使用できる。

　　d．文献からの複写も，教材の複写も簡単にできる。色彩の複写も可能である。

　　e．教材を何枚か重ね合わせて画面を合成したり，分解したりできる。

　　f．ロールを使用して連続投影ができる。

　　g．教材の保存が可能である。

　　h．自動的に映写できないので，数多く見せるときには適さない。

　　i．視覚に訴えるのみで音声は伴わない。

　　j．切り抜いた物を画面の中で動かすことはできるが，映画のよう
　　な連続した動きは示せない。

　OHPと言うのは映写機の名称で，セロファン状のトランスパレン
シー（トラペン，TP）と呼ばれるものが教材である。

B．利用法

　複写が簡単なので，図や文章を提示したいときに便利である。この
特性を利用して作文の添削によく使われる。合成が可能なところか
ら，漢字の構成要素を示したり，筆順の提示に利用できる。教師が書
いてみせても，見ていない学習者がいると何回も書き直さねばならな
い。OHPで筆順を示し，その間個人指導にあたる方が時間を有効に
使える。

　TPを複写機の印刷用紙のカセットに入れて，簡単に原稿の複写が
出来る。

6．デモンストレーション

　いわゆる「教材」とは異なるが，視聴覚的手法として教師のデモン
ストレーションがある。文法説明のついている教科書を使用している
場合や具体的行動を通して理解可能な表現を教えるときには，言葉に
よる説明よりもデモンストレーションの方が効果的である。

　日本語の「上に」は上部または上方にさえあれば使われる。これに
反して英語の"on"は物の上に直接接触している場合にのみ使用され
る。したがって，英語国民を対象としたクラスでは，"on"＝「上」
という説明のみでは不十分で誤用を招く。図で示してもよいが，何か
学習者の気をひきそうな物，例えば花でも一本持っていって，机上に
おいたり，上方にかざしたり，「上に」で表される種々の場合を示し
ながら，そのつど「机の上にあります」を繰り返せば，学習者のうち
のだれかしらが，自国語との差に気づき始める。その段階で，今度は
机上に直接おいた場合，上方においた場合を示して学習者に「上に」

を使って表現させ，理解を確認すればよい。次に既習の単語を利用できる事物例えば「本の上にあります」を使ってじょじょに応用に入る。教師が花を何かの上に載せるまたは上方にかざすだけで，どんどん学習者の方からこの文型を使った表現が出てくるはずである。意味を理解した後で「…の上に×××がありますか」，「何の上にありますか」といった学習者同士の応答練習を行う。教師は発音や間違いを直したり，学習者を次々に指したりするだけでよい。教師のデモンストレーション間の発話は「…の上にあります」に限られ，その間学習者は新しい表現の音に慣れ，それを聞き取り，内容を理解しようとしているわけで，一見時間がかかるように思えても，このように具体的に示せる場合には，媒介語による説明を聞くよりもはるかに有効に時間を費やしているはずである。

　「…しているところ」，「…したところ」，「…するところ」の基本的な差も，何か学習者の興味を持ちそうなこと，例えば，折り紙でボートを折るなどしながら文型を与えたり，その文型を使って質問に答えさせたりすれば理解しやすい。

　このようなデモンストレーションのための小道具は「財産」として少しずつ貯めておくと役にたつ。長年日本語教育に従事されている木村宗男先生（元早稲田大学教授）は，紐の操作で自動的に開閉する小箱（「アク・アケル」）や万華鏡，色付きセロファン，望遠鏡（「見エル」）等言葉による説明だけでは分かりにくい表現を教えるための小道具を集め，楽しく且つ分かりやすい授業をしておられる。

7．スライド

A．　特性

　a．視覚に訴える。

　b．画像が静止している。

　c．自作が可能である。

ｄ．保存が容易である。

ｅ．一こまずつ独立して使える。

ｆ．拡大した画像が示せる。

ｇ．聴覚教材との併用が可能である。

ｈ．使用の際，設備上の問題がある。

スライドには大別して次の二種がある。

　（ａ）カットスライド（一コマスライド）

　　　　一こま毎に切りはなされ，枠にはめられている。取り扱いが
　　　　簡単で，必要なこまのみ選んで利用できる。

　（ｂ）フィルムストリップ（ロールスライド）

　　　　一連のこまがフィルム状につながっている。保管しやすいが
　　　　順序がきめられてしまい，操作もやや複雑である。

　映写機にもリモートコントロールつきのものや自動的にこま送りが
できるもの，スィッチの操作で自由にこまを選んで映写できるもの等
がある。

　映写機，スクリーン，暗室等を必要とするが，デイライトスクリー
ンなら普通教室でも使用できる。最近の語学ラボラトリーでは，学習
者のブース内の小スクリーンに映写できる。この場合には暗幕はなく
ても見える。

Ｂ．　利用法

　上記の特性から，次のような利用法が考えられる。

ａ．言葉の意味するものを視覚的に与える。

ｂ．聴覚教材と併用して言語の使用されるシチュエーションを与え
　　る。

ｃ．漢字教育のように静止画像を比較的長時間提示したい場合に利
　　用する。

ｄ．日本の事物や日本人の生活の場面を視覚的に示す。

e．看板やポスター等身の回りに使用されている漢字の例を示す。

f．スライドを見せながら画像について質問し，教師を中心とした会話練習を行う。

g．スライドを見ながら学習者同士の会話練習を行わせる。会話を録音し，再生して適宜発音や誤用の訂正，その応用練習等を行う。

h．肉眼では見えない物をスライドによって見せる。

i．コンピューターでこまの動きを統御し，Computer Assisted Instructionを行う。

j．文字や単語の認識の練習のためにフラッシュカードと同じように使用する。

k．組み合わせや順序を換えて他の教材と併用して使う。例えば漢字教材をスライドで作っておけば，どの教科書とも併用可能である。VTRのように提示の順番が固定されるものは，各課または各教科書毎に作らねばならないし，部分的修正もスライドほど簡単には行えない。

C．　作成上の留意点

　各こまの目的を明確にし，一こまのスライドで与える情報量を調節する。あまり欲張るとポイントがぼけ，意図するような使用法には適さなくなる。殊にあるシチュエーションを示そうとするときには，連続した動作を細分化し，一つの動きを一こまで表すようにしないと視覚化する意味が失われる。音声教材と併用するときには，特にこの点に留意する必要がある。

　日常生活の中で使用されている漢字を示したいときには，その漢字が書かれている物及びその周辺の状況を示すようなスライドも作っておかないと，漢字がどう使われているかは理解させにくい。

8．テープ教材

A．特性

　a．何回でも繰り返して使用できる。

　b．使用法が簡便である。

　c．長期保存が可能である。

　d．音質が良い。

　e．複製が簡単である。

　f．視覚的要素を欠く。

　g．視覚教材との併用が可能である。

　h．自作が可能である。

　i．編集が容易である。

　以上の特色からテープ教材は最も広く，頻繁に利用されている。語学ラボラトリーでの授業内容を録音し自宅で復習したり，視聴覚教育センターでテープを借りだして使用したりする例も見られるが，著作権の問題から語学ラボラトリーでの録音を禁じている国もある。市販されている教科書には殆ど録音テープがつけられている。

B．テープ教材作成上の留意点

（1）ドリルの種類と録音形式

　テープによるドリルでは，主としてA‐L教授法の文型練習が行われている。テープを使っての文型練習では，正答が一つに限られる形式のドリルしかできない。これは，正答を確認させる必要があるためである。

　聴解練習のためにテープを使用する際には，正解をどう与えるかが問題になる。

a．文型練習

［模倣練習］

　i．モデルとなる語句や文を与える。

ⅱ．ポーズ──学習者がモデルを模倣する。

ⅲ．もう一度モデルを与える。

　　新しい語彙や文の練習のように極く初期の段階の練習に適している。単調な練習なので飽きを誘わないようにする。

［代入及び変形練習］

　ⅰ．基本文型を与える。

　ⅱ．cue（または指示）を与える。

　ⅲ．ポーズ──学習者が与えられたcueを使った（指示にしたがった）文型を作る。

　ⅳ．cueを使った（指示にしたがった）正しい文型を与える。

　ⅴ．ポーズ──学習者が正しい文型を反復し，正答を確認する。

　　　これが最も一般的な形式であるが，ⅴ．の確認のためのポーズをとっていない市販録音テープが見られる。恐らくテープの経済性を考慮に入れてのことだと思われるが，自作する場合には必ず確認のためのポーズを入れなければならない。ここで初めて学習が成立するのであって，この段階でまだ間違えているようであれば，訂正すればよい。この練習にさいしては，練習方法を説明するなり，例を入れるなりしておかないと，学習者は自分で文を作る代わりに与えられたcueを繰り返してしまう。

［応答練習］

　ⅰ．質問をする。

　ⅱ．ポーズ──学習者が質問に答える。

　ⅲ．正しい答えを与える。

　ⅳ．ポーズ──学習者が正しい答えを反復し，正答を確認する。

ｂ．音読練習

　ⅰ．一句ずつ切って適当なポーズを入れて読む。

　ⅱ．ポーズをおかずに全体を通して自然な抑揚で読む。

　　　一句ずつ区切って読むとき，句末が強くなる傾向があるので注

意する。我々日本人には，先に全体を通して読む方が自然である
ように思えるが，漢字の問題があるせいか，先に一句ずつ区切っ
て読むのを好む学習者が多い。教室でテープを随時止めながら区
切って読ませるのはテープの経済性からはうなずけるが，以外に
手間がかかるのでやはり二段構えのテープを用意することをすす
める。

c．会話練習

いわゆるControlled Conversationのことで，教科書に載っている
会話を音声化したもののことである。最も一般的な形式は次のような
ものである。

　i．会話全体を通して聞かせる。

　ii．一句ずつポーズをおいて反復させる。

　iii．Aの発話のみを与え，ポーズをおいて学習者にBの発話を言わ
　　　せる。

　iv．Bの発話のみを与え，ポーズをおいて学習者にAの発話を言わ
　　　せる。

　v．もう一度会話全体を通して聞かせる。

　　会話練習用テープ教材には必ず発話する人数と同じ数の録音者
　をあてる。一人で会話文を読んでいるのを見かけるが，不自然で
　単調になるのみならず，主語や目的語等文の要素の省略される会
　話が多いので，どこからどこまでが同一人の発話なのか初心者に
　は分からず，混乱をおこさせる恐れがある。

d．聴解練習

　長文を聞かせて質問に答えさせる，テープの指示に従って，表や地
図，文中の空欄などに記入させる，二人または二組の学習者にそれぞ
れ異なる情報をテープで与え，相互に情報を交換させるなどの形式が
ある。

（2）話す速さとポーズの長さ

　話す速さは自然の速さがよいとされている。不自然に遅くすると抑揚も不自然になることの他に，自然の速さの音声が分からなければ実力がついたことにはならないとの理由からである。実際には最初ややゆっくり話し（例：会話練習の最初に聞かせる全体を通した会話），最終的には普通の速さになる（例：会話練習の最後に聞かせる全体を通した会話）のが普通である。

　ポーズはあまり長すぎるとダレてしまう。一般には，モデルの1.2倍のポーズがよいとされているが，初級レベルでもむしろ短めにした方がよい。何回も繰り返し練習させるとか，どうしても必要な場合には，ポーズ用のボタンを利用して学習者のレベルに合わせて調節する。

（3）録音者

　録音者には標準語を話す人を選ぶ方が望ましいが，必ずしもそれが可能とは限らない。実際には種々のなまりのある発話が聞き取れなければならないので，極端な場合を除いては，なるべく標準語に近い話し手を選ぶ程度でよいと思う。しかし，初級レベルの教科書にはアクセントが記されているものもあるので，録音に当たった者はアクセント辞典で調べるなどしてそれとは異なるアクセントは避けるようにしなければならない。中級レベル以後はなるべく多様な録音者を使用しないと，教師の発話は分かるが他の日本人の発話は聞き取れないという現象が起こる。

　かつて，標準語を話す人に日本語教師と一緒に会話用テープ教材を作ってもらったことがある。普段の会話ではあまり気にならなかったにもかかわらず，録音したものを再生してみると，二人の母音の明瞭さがあまりにも違いすぎ，結局少しなまりのある他の日本語教師に録音し直してもらった。日本語教師は気がつかない間に母音を明瞭に発音する癖がついているのであろう。放送等を録音して利用する場合に

も，舞台出身の俳優といわゆるラジオ（テレビ）出身の俳優の差を学習者は敏感に聞き分ける。本職のアナウンサーの中にも学習者の立場に立って考えるとあまり勧められないケースもある。俳優は個性を売り物にしているので，癖のない読み方を要求する初級レベル用の日本語教材にはあまり向いていない。

　テープによる学習は聴覚のみに頼るので単調になりがちである。内容，録音方法共に変化に富ませる必要がある。この点から，録音者には男女二人以上を選び，交互に録音するのが望ましい。録音者の声の高低が異なりすぎると，聞きにくいのみならず，それを忠実に模倣しようとする学習者もあって疲労を誘う場合もある。

（4）その他の録音上の注意

　録音の始めにはタイトルを，終わりには教材の終わりを示す言葉を入れる。チャイムのような音を入れるのも一案である。テープを作った者が使用するとは限らないし，語学ラボラトリーでは何本ものテープを同時に聴取させる場合も有りうるので，テープがどこで終わるのかはっきりさせておく必要がある。

　録音は録音室でするのが望ましい。普通の部屋での録音は残響その他の雑音が意外に多く入り，せっかく作った教材が使用に耐えない場合もある。普通のテープレコーダーで録音し，途中で間違えたために再び録音し直すときには，スイッチを入れる前後に音量をしぼらないと，録音し直した部分に大きな雑音が入ってしまう。

　第三者に立ち会ってもらい，ポーズの取り方も合図をしてもらう方が失敗は少ない。録音者だけだといつの間にか話すテンポが速くなる傾向がある。

（5）保存上の注意

　テープは何回も録音し直して使用できるところから，録音内容が変わることが多いので，録音内容の記入を正確に行う。タイトル，録音

者の他に録音時間を忘れずに記入しておく。

9．VTR

A．特性

　a．視覚と聴覚に訴える。

　b．画面に動きがある。

　c．適宜機械を止めて使用することができる。

　d．取り扱いが簡単である。普通教室にも簡単に持ち込め，テープ
　　レコーダーと同じように取り扱える。

　e．反復して何回も使用可能である。

　f．保管が容易である。

　g．テレビからの録画が簡単にでき，自作も可能である。

　h．複写が簡単に行える。

　i．音を消して画面だけでも使える。

B．使用上の留意点

（1）選択の基準

　あるVTR教材が果たして自分のクラスで使用する目的に適してい
るか否かは，タイトルだけではわからない。選択の基準としてつぎの
事項が考えられる。聴解の難しさとも重なる面が多いので，「聴解の
指導」の章（p.171-179）も参照されたい。

　a．画面と説明の内容が一致しているか。

　　歴史物に多く見られるが，景色を見せながらその土地にまつわ
　　る歴史を説明するような物は視覚による助けがないので難しい。

　b．音が歪められていないか。

　　大人が子供の役を演じているようなものは難しい。

　c．方言を使っていないか。

　d．固有名詞が多すぎないか。

　e．日本的発想に基づいていないか。

　　基礎となっている日本的な考え方について説明を与えないと理
　解できないので，もし，言葉を教えることにのみ目的をおきたい
　場合には適さない。

　f．ヒントとして字や絵が示されるテレビのクイズ番組は比較的や
　　さしい。

（2）利用上の注意

　大体下記の手順で使用する例が多い。

　a．一度全体を通して視聴させる。

　b．部分毎に説明を加えながら視聴させる。録音テープを使用して
　　音声のみを聞かせる。

　c．もう一度全体を通して視聴させる。

　語句のリストを与える場合には，与え方を注意しないと，VTRの
視聴とリストのどちらが主体か分からなくなる恐れがある。できるだ
け文字には頼らずに，画面と話の流れで理解させるようにする。日常
会話に度々使われる表現の書き言葉と話し言葉の差や，話し言葉で使
われる縮約形（「――してしまった」→「――しちゃった」etc.）の
原則も示す方が親切である。日本にいれば，この種の形は日常一番多
く耳にするはずなのにこれを取り上げている初級教科書はあまりな
い。日本での日本語教育では，聞いて理解できるようかなり早い段階
からすべきであろう。この面でもVTRの活用が期待される。

　音を消し画面のみ見せて内容を説明させる，その画面に適切な会話
をいろいろレベルを変えて言わせるなどの練習は復習としても最後の
仕上げとしても役に立つ。

　聴解のためのみならず，視聴した内容や主題に関する自由会話，作
文の他に，シナリオのプリントを与えて読み方や漢字の指導にも発展
させることができる。単に視聴させるだけでなく，一本のVTRは十
二分に活用出来る。

（3）マイクロティーチング——「鏡的利用」

VTRには「鏡的利用」と呼ばれる利用法がある。この方法を用いて教授法改善の試みがなされている。

これはアメリカで開発された教育実習に代わるもの，またはその準備のためのもので，マイクロティーチングと呼ばれる。かいつまんで言えば，教育実習生の模擬授業を短時間VTRで録画し，すぐに再生してその教え方を指導教官と共に検討し改善を加え，改善を加えた模擬授業を再度録画するといった手法である。改善すべき点を自分自身で納得しながら教授技術を獲得していく方法なので非常に効果的であると言われている。機会があったらば，自分のクラスをVTRで録画してもらうとよい。自分自身で再生し検討するだけでも自分では気づいていなかった欠点が発見できるし，マンネリに陥るのを防ぐ意味でも非常に役に立つはずである。

お互いのクラスを録画し合い，教授法研究のためにも使用できるし，また，教師養成用教材として活用する方法もある。

日本で録画したVTRを海外で使用する場合には，あらかじめ録画した機械と再生する機械との互換性を確かめておかないと，せっかく持って行っても再生できないことがある。Umatic，β，VHS，8ミリの他に録画方式の差も確かめておかなければならない。日本とアメリカは同じ方式であるが，中国やヨーロッパは異なるので，日本で録画したVTRは，日本のVTRかマルチ方式のVTRでなければ，再生できない。また録画スピードも標準と3倍のどちらかしか再生できない機種がある。

（4）作成上の注意

実際の人物の実演ばかりでなく，紙芝居のように絵をつなげて物語のVTRを作ったり，漢字や平仮名の独習用教材など，自作VTR教材は幅広い分野で可能である。学習者自身にスキットを作って，演じさせ，それを録画して皆で検討するといった使い方もある。速読練習用

教材を作る場合には，残像がチラついて見にくい点を考慮に入れてお
く必要がある。また，既製の印刷物や音楽を使用する場合には著作権
の問題がからむことも忘れないように。

（5）保管

　ケースには，録画内容，録画年月日，録画時間の他に簡単な使用記
録——使用したクラスのレベル，学習者の反応等——をつけておく
と，その次に利用する者の参考になり，便利である。

10. 語学ラボラトリー（Language Laboratory, L. L.）

　「ラボラトリー」の言葉が示すように，これは学習者が視聴覚教材
を総合的に利用しながら練習を行う設備である。種々の語学ラボラト
リーがあり，学習者の個人用にイヤフォンのみが与えられているも
の，イヤフォンとマイクが与えられ教師がモニターできるもの，イヤ
フォン，マイク，録音機が与えられ教材を自分のテープに録音し，自
分の反応とモデルとを反復聴取しながら教師と相互通話できるもの，
視覚教材も提示できるものもある。学習者のブース間の板を下げれば
普通教室として使用できるものや普通教室に持ち込んで使用する移動
簡易ラボも開発されている。

　近年，語学教育理論の変遷に伴い，機械的な多量のドリルに対する
批判がなされ，語学ラボラトリーの効能を疑問視する意見も出されて
いる。一方，技術面での進歩に支えられて，視覚教材提示装置や学習
者の反応分析装置（アナライザー）を備え付けたり，コンピューター
とラボを繋ぐといった多面的利用が可能になってきている。Lan-
guage Laboratoryというよりも個別指導に重点をおいたLearn-
ing Laboratoryとしての機能が重視されつつある。

　授業の一部として利用する場合と，課外に学習者が任意に利用する
場合がある。後者は図書館形式と呼ばれ，アメリカではこの形式の利
用がほとんどである。

A．特性

　a．イヤフォンを使い，教材と一対一の対応で学習するため，集中
　　度の高い学習ができる。必要に応じて反復練習が可能である。

　b．一斉学習の形態をとる場合でも，相互通話装置により個別指導
　　が可能である。一人の学習者が個別指導を受けている間に他の学
　　習者はテープにより学習を進めることができる。

　c．数種のテープ教材が同時に流せるので，一度にレベルの異なる
　　学習者の指導が可能である。

　d．視覚教材やVTRの使用，コンピューターと連動させて総合的
　　な個別学習装置としての利用もできる。

　f．聴覚が主体で集中度が高いため，疲労を誘いやすい。

B．利用上の留意点

　初級では短時間でも回数を多くする方が望ましい。疲労の問題があ
るので，音楽を聞かせるなり，ドリルの種類を変えるなりして単調に
ならないよう配慮する必要がある。

　普通教室でのクラスとL. L.クラスとを併用する場合には，L. L.で
の個別指導は音声面にかぎる。文法事項のように普通教室で与えられ
る指導は極力省き，できるだけ多くの学習者の個別指導のために時間
を割く。学習者が発音上の同じ間違えを繰り返すのは，自分の発音と
モデルとの差に気づかないからである。モデルとの差をはっきり指摘
しなければならない。モデルを模倣させるだけではなく，舌の位置，
口の構えなど正しい音が出せるよう具体的に説明する方が効果的であ
る。一つの発音だけではなく，その学習者の持つ一般的な問題を指摘
するように心がける。

　L. L.クラスがカリキュラム全体から遊離してしまっては効果はあ
がらない。L. L.クラス担当者は他クラスも教えるようにして，カリ
キュラム全体を知ることが必要である。新入りの教師がよくL. L.を

担当させられているが，これは全体的な効果から言えばあまり感心しない。L. L.クラスがつまらないために学習そのものに対する意欲を失う学習者も見られる。L. L.は，学習者の問題点を最も発見しやすい機会でもある。

　視覚教材も提示できるL. L.では，聴解クラスの他に漢字クラスも可能である。TPを使用して（OHPの項参照），あらかじめ教えるべき事項をそのまま提示できるよう準備しておけば，個別指導もできる。L. L.の持つ機能を最大限に利用し，教師自身はできるだけきめの細かい個別指導にあたるようにしたい。

II. Computer Assisted Instruction (CAI)

　CAIは一つの手法であり，教材そのものではない。この手法はプログラム学習の考え方に基づいて教材を組み立てる。

A. プログラム学習の考え方

　プログラム学習は，アメリカの心理学者であるスキナーやプラッシーらによって開発され，スモール・ステップ，学習者の積極的反応，反応の即時確認を基本原則とし，個人の能力に即した学習を目的としている。大別してスキナー型（直線型）とクラウダー型（枝分かれ型）の二つがある。

（1）スキナー型

　この型のプログラムは，刺激－反応の積み重ねにより，学習者の行動を望ましい方向に連続的に導いていく。

　まず，学習の目標を定め，それに至るまでの過程を小刻みな連続的段階に分ける。各段階は「フレーム」と呼ばれ，一つのフレームで与える知識は一つに限られる。フレーム毎に，そのフレームで与えられた知識に関する質問に答えさせる。質問は多肢選択式ではなく，自由に応答できるようにし，できるだけ学習者が誤りをしないようにする。各段階で正しい反応ができるよう手掛かりを与えることは重要で

はあるが，これは次第に少なくし，手掛かりなしでも正しい反応ができるようにするのが望ましい。反応の正誤を直ちに学習者に確認させることによってその行動を強化することが必要条件とされている。学習は自己のペースで行われ，その反応は記録される。教師はこの反応記録を基にしてプログラムの修正を行うことができる。

（２）クラウダー型

基本的原理はスキナー型と同じであるが，フレーム内の質問は多肢選択形式が中心であり，誤答肢を選択した場合には，それを修正したり，誤答の原因を理解させるための段階が枝分かれプログラムによって用意される。したがって，反応の確認は強化というよりむしろ行動を調整する効果を持つ。また，各段階もスキナー型ほど小刻みである必要はなく，かなり長い文章や質問であってもよい。

B．プログラム学習の長所と短所

プログラム学習の長所としては，次の点があげられている。

ア　自己の能力に応じた個別学習ができる。

イ　即時訂正が行われる。正答の場合には満足感が得られるし，失敗してもその理由がすぐ教えられるので学習意欲はそがれない。

ウ　常に刺激－反応の関係におかれるので，学習者は積極的に学習に参加することになる。

エ　分からないまま，曖昧なままでは先に進めないので，知識を確実にする。

オ　常に全員が教材と一対一の関係に置かれるので，普通クラスで見られるように，一部の学習者が遊ぶようなことはない。

否定的な面としては，プログラム学習の適する教科が限られる点が指摘されている。知識の獲得を必要とし，その知識が構造化され「記憶」よりも「理解」を必要とする教科，例えば，数学，物理，自然科学の基礎的知識，歴史，地理，語彙，文法などがふさわしいとされて

いる。

C．CAI

　プログラム化された教材は，かつては，ティーチング・マシンと呼ばれる機械を使って使用された。いろいろなティーチング・マシンが開発されたが，いずれも，教材提示のための窓と学習者が解答をするためのボタンまたは解答記入欄がついており，正答をしたときにのみ，次のフレームが窓に提示される仕組みになっている。

　その後コンピューターが発達するにつれて，教材をコンピューターによって制御するようになってきている。これがCAIである。現在では，問題をコンピューターで提示し，正解を選択肢の中から選ばせる「ドリルCAI」，ゲームの競争原理を適用して，遊びの気楽さと勝つ楽しみを取り入れた「ゲームCAI」，実際の現象を模倣しながら学習する「シュミレーションCAI」など，種々のタイプのCAIが研究，開発されている。漢字学習，初級レベルの文型習得，上級の速読練習等での活用が見込まれる。現在のところは，漢字学習用CAIが多い。

12．マルチメディア型教材

　ハイパーカード型教材やCD-ROMの他に，レーザーディスクとコンピューター等，種々のメディアを連携させ，音声・映像・文字情報を統合して提示できる教材の開発が試みられつつあり，そのうちの幾つかは市販されている。

　この教材では，映像や音声を瞬時に取り出す，教材の種々の場面を自由に取り出して対応させる，これらの操作を繰り返し行うなどができるようになっている。

　たとえば，『となりのトトロ』のレーザーディスクをコンピューターと連係させて，自由に必要な画面を取り出し，組み合わせて，言葉の使い方，応答の仕方などを教えることを目的とした教材が作成されている（国際交流基金日本語国際センター，『日本語教育通信』

18号，1994年2月）。

第4節　日本語教育用視聴覚教材

１．スライド（パネル）

A．国際交流基金企画，スライドバンク　1980年‒1985年　プロコム
　　ジャパン，東映作成

　　国際交流基金が中心となり，各日本語教育機関の代表からなる委員
会が設けられ，一連のスライド教材が作られた。これが「スライドバ
ンク」である。これは日本人の日常生活における種々の場面を視覚的
に示したもので，自由に組み合わせて使用することを目標としてい
る。教師用の解説書が用意されている。また，普通教室での使いやす
さを考慮して各コマの写真パネル（B4版）も作られている。

　　テープや解説の語彙や文型は委員会の検討を経て，それぞれのレベ
ルに応じたものが使用されている。

（1）場所シリーズ　240コマ，ナレーションテープ付き，初級後半レ
　　　ベル

　　　日本人の日常生活に関係の深いいろいろな場所を住居，学校，小
　　売り店，飲食店，駅と鉄道，娯楽・スポーツ等12のテーマにわけ，
　　各20枚ずつ計240枚のスライドが用意されている。

（2）生活シリーズ　153コマ,会話テープ付き,初級‒中級前半レベル
　　　日本人の典型的な生活形態として，中年のサラリーマン，共稼ぎ
　　の若いサラリーマン，農業，自営業，学生等7種を設定して，その
　　家族の日常生活における種々の場面をスライドで紹介する。初級前
　　半，後半，中級の文型を中心とした3種の会話テープが用意されて
　　いる。

（3）12か月シリーズ　193コマ，会話テープ付き，中級前半レベル
　　　日本の行事や習慣を12か月に分けて紹介する。Part 1とPart 2

があり，前者は各月の行事や習慣を紹介するスライドで，教師用の
解説は用意されているがテープはない。後者は各月の特徴的な生活
習慣，例えば 2 月のウィンタースポーツ，6 月の梅雨など，を中心
とする数コマのテープ付きスライドである。どのような場面ではど
のような表現が適しているかを示すことを目標にしている。

（ 4 ） 留学生シリーズ　60コマ，会話テープ付き，初級レベル（解説
　　用附属スライド40コマ）

　　日本に来ている留学生を中心に，日本到着，下宿探し，引っ越し
等，日常生活の各主題毎に 4 コマの会話付きスライドが用意されて
いる。

　　日本の生活のオリエンテーションにも使用できる。

2．映画・VTR

A．文化庁企画映画・VTR　1967年-1973年　シネセル作成

　1967年から'73年にかけて，国立国語研究所に日本語教育センター
が設けられる以前に作られた映画で，敬語，依頼の表現，補助動詞な
ど20分程度の長さのものが 6 本ある。語彙や表現は委員会のチェック
を経たものが使用されている。

B．国立国語研究所企画

（ 1 ） 日本語教育映画基礎編30巻　1973年-1983年　シネセル作成

　　このシリーズは国立国語研究所日本語教育センター日本語教育教
材開発室と日本語教育映画等企画協議会が中心となって補助教材と
して作成された。初級の基礎的文法事項や表現を中心に各巻 5 分に
まとめたもので，教師用手引き書，練習帳，シナリオ集，語彙表も
用意されている。

　　作成にあたっては，まず，学習項目を設定し，その項目が提示さ
れやすい場面や映像化に適した事物を選ぶ。次いで，それらの事物
や場面を組合わせて物語を作る。場面の選定にさいしては，日本文

化の紹介よりも四季を通じての日本人の日常生活を取り上げるよう配慮する。台本が用意された段階で，使用されている語彙，表現，文型が吟味される。語彙はその課までに学習されたものにできるだけ限ること，学習項目とされている表現や文型の使用法をできるだけ多く繰り返し場面に結びつけて提示し，全体としての物語性には必ずしもこだわらないことがその基準とされた。そのため，やや不自然な面もあるが，教室で使用するためには，手堅く作られている。

各課の目的とする学習項目はサブタイトルとして示されている。例えば，第一課「これはカエルです」の学習項目は「こそあど」と「――は――です」であり，その基本的な使い方を示すことがこの課の目的である。

補助教材として作成されたものではあるが，30巻としてまとめられたので，現在では，このVTRを主軸としたコースを設けることも可能である。このシリーズについては，日向茂男（1979），日向茂男・清田潤（1983）に詳しく説明されている。

（2）日本語教育映像教材・中級編　1987年　シネセル作成

1994年までにユニット4（5分もの各6巻）が作成されている。基礎編が文型や表現の学習を主眼点としているのに対して中級編はコミュニケーションの場の中での言葉の使い方を重視している。

C．国際交流基金企画VTR

（1）「ヤンさんと日本の人々」　初級向き　1983年　ビデオ・ペディック作成

日本語教育用テレビ番組のスキット部分を集めたもので，留学生を主人公として，成田到着からアパート探し等を通じて日本の生活を紹介しながら初級レベル前半程度の文型や表現の使い方を提示する。約6分のスキット13で構成され，一日に1-2時間の授業で約

13週間分である。英和対訳のシナリオの他に英文の指導書がついている。最近では，教師の説明（英語）や練習のついたテレビ番組 "Let's Learn Japanese" も用意された。

　このシリーズは，特定の文型の提示を目的とはしているが，面白さと自然な会話，自然なシチュエーションを重視し，使用する語彙や表現に「基礎篇」ほど厳しい制限は設けていない。また，日本人の日常生活，現代の日本社会，文化の紹介も意図している。

　第一話「ヤンです。どうぞよろしく」の学習項目は，「こそあど」と「――は――です」となっている。その他に，社会・文化的項目として，「客を迎える時の家庭での応対」があげられている。物語はヤンさんという仕事と研究をかねて日本に長期滞在する若い建築家の生活を中心として展開され，第一話では，成田新東京国際空港到着ロビー，高速道路を走る車の中，加藤家の玄関と居間で交わされる会話が紹介される。

　前述した「基礎編30巻」とこのVTRとを比較すると，次のようなことが言える。

　「基礎篇30巻」は，前述したように，制約された語彙を使用して，取り上げた文型の典型的な使い方をできるだけ多く示すことに重点がおかれているため，全体としては不自然に思われる部分も見られる。「ヤンさん」の方は，使用されている語彙がかなり多い。特に，間投詞が多く，その上，到着便のアナウンスをそのまま入れるなどして臨場感を与えたり，「デス・マス」体を中心にしてはいるが体言どめ等の省略した形の文末を多く含めたりして，「基礎篇30巻」に比べると，自然さ，楽しさが重視されている。

　一方，提示されている文型を見てみると，「基礎篇30巻」が忠実に場面に合わせてあらゆる形を繰り返しおうむ返しのように示しているのに対し，「ヤンさん」の方は，典型的な例を示しているに過ぎない。この点については，後者がテレビ番組の中心素材として作

られ，教師の説明を前提としていることを考慮すべきであろう。
「基礎篇30巻」は文型を重視し，「ヤンさん」はコミュニケーション
を重視するという両者のこのような差には，作成当時の語学教育に
対する考え方も反映されているが，いずれも語学教育の両輪をなす
ものであり，どちらか一方に偏ってはならない。

　「基礎篇30巻」には，基礎的学習項目が一通り含まれているとこ
ろから，これを主軸として，学習項目が重なる部分では「ヤンさ
ん」を併用し，同時に「ヤンさん」の社会・文化的項目も学習する
というように，両シリーズを適宜組合わせて利用すれば，より幅の
広い効果的な成果が期待できるはずである。このような利用法で
は，「ヤンさん」は最初の提示用に，「基礎篇30巻」は練習用に適し
ていると言えよう。「ヤンさん」を会話中級レベルの復習用に使用
している例もある。

（２）「続 ヤンさんと日本の人々」 初級後半-中級向き　1991年　ビ
　　　デオテック作成

　　　ヤンさんと下町の人々との交流を描いたもので，全13話（１話
　　6-12分）で構成されている。

（３）上級用VTR教材

　　　上級向きのものは，日本のテレビで放映されたドラマの版権を買
　　取ってVTR化し，日本語教育用に主として海外で使えるようにし
　　たものである。

　　　「わが美わしの友」，「女が職場を去る日」，「三年たって恋」，
　　「ちょっといい夫婦」，「母上様，赤沢良雄」のための単語表（和英
　　対訳）とシナリオが用意されているが，国内ではシナリオのみが市
　　販されている。

D．その他の日本語教育用VTR

（1）氏家研一企画・構成「ビデオ講座日本語」　初級向き　東京書籍

　　　1994年までに7巻が完成している。スキットとドリルで構成さ

　　　れ，「指導の手引き」がついている。

（2）BBC制作「日本語　Japanese-Language and People」

　　　日本の社会や文化を紹介しながら，同時に日本語を教える。（全

　　10巻　各28分）

E．日本語教師養成用VTR

（1）日本語教育学会監修「日本語授業の実際」　1986年　プロコム

　　　ジャパン作成

　　　国際交流基金の財政的援助を受け，日本語教育学会が監修して日

　　本語教師養成のためのVTR29巻が1994年までに作成されている。

　　これは日本語の授業参観に代わるものとして授業の実例を示すこと

　　を目的に，諸日本語教育機関の協力を得て，いろいろな日本語クラ

　　スの実際の様子を録画し，主題毎に編集したものである。各巻

　　20-30分程度で，授業の背景に関する簡単な説明がつけられいる。

（2）柳沢好昭監修「日本語の教え方」　アルク

　　　種々の教授法を取り上げて，解説を加えながら実演し，紹介す

　　る。（全5巻　各巻約30分）

F．その他

（1）インターボイス企画・制作「Faces of Japan」

　　　現代日本の姿を伝えることを目的として，日本人の日常生活を描

　　いた作品で，英語のナレーションつき。全23巻。

　　　この他にも日本語教育機関が自分の機関の教科書に合わせて作成し

　　たものや種々の日本語教育用VTRが市販されている。凡人社の『日

　　本語教材リスト』に詳しい紹介がある。

参考文献

（1）石田敏子（1977a）「漢字学習のプログラム化」,『日本語教育』32号, pp.89-101.

（2）──────（1978）「コンピューターを利用した漢字の個別学習」,『日本語教育』36号, pp.55-56.

（3）──────（1981）「日本語教師養成のためのマイクロティーチング」,『日本語教育』44号, pp.33-42.

（4）──────（1986）「視聴覚教材を利用した授業設計」,『講座日本語教育』第22分冊, pp.1-13.

（5）大塚明郎他（1977）『教育工学の新しい展開』, 第一法規.

（6）草薙裕（1984）「日本語教育とコンピュータ」,『日本語教育』54号, pp.17-24.

（7）佐久間勝彦（1988）「音声＋映像教材の条件と可能性──ビデオスキャット「ヤンさんと日本の人々に関連して」,『日本語教育』64号, pp.44-58.

（8）中山和彦, 木村捨雄, 東原義訓（1987）『コンピュータ支援の教育システムCAI』, 東京書籍.

（9）日向茂男・清田潤（1983）「日本語教育映画基礎篇の完成について──映像教材の可能性と展望──」,『日本語教育』51号, pp.118-130.

（10）平澤洋一, 渋井二三男編（1992）『日本語CAIの研究』, 桜楓社.

（11）「特集：日本語教育とCAI」,『日本語教育』78号（1992）.

（12）Ishida, T. (1977b) "Slide Materials for Teaching Kanji to Non-Japanese Students", *Annual Reports*, Vol. 2, ICU, pp.35-46.

（13）Ishida, T. (1979) "Computer Assisted Instruction for Kanji Presentation Course vs. Review Course". *Annual Reports*, Vol. 4, pp.49-61.

第19章　日本語教師の心構え

これまでに述べてきたことも含めて，もう一度日本語教師の心しておくべき事項をまとめてみよう。

第1節　日本語教師の留意すべき事項

経験をつんだ日本語教師であれば，外国人の使う日本語を聞くと，その人が初期にきちんとした日本語教育を受けたか，自己流の独学で学んだかは大体推察出来る。これは，どの分野でも言えることであろうが，それ程初期の教育は重要である。また，学習者は，教師の教え方を通じて日本語の学び方も身につける。その意味でも，将来への見通しを持った初期教育が望まれる。

1．学習の目的を明確にする

これから何を学ぼうとしているのか，学習者には何が要求されているのかを明確にし，学習者の側に不安を起こさせないようにする。教師の説明がよく理解出来なかったり，文化的背景の違いによる発想の差のせいで，自分が何をしようとしているのか分からず不安を感じる学習者が往々にして見られる。余計な不安は取り除き，学習に専念できるような状態にクラスを導くことが肝要である。

そのためには，視聴覚教材を利用する，細かいステップで学習を段階的に進める，コースの前に学期毎のスケジュール（シラバス）を配布する，必要に応じて母語または媒介語で説明する等の工夫が考えら

れる。

2．学習者の母語または，媒介語は効果的に利用する

　前述したように，日本語教育の場合，学習者の母語が使えるとは限らない。また，母語の使用は避けるべきであるという主張もある。過度に依存するのは戒めるべきであるが，時間の経済性や学習者の理解度等から判断して，母語または媒介語を使用した方が効果的と認められる場合には使った方がよい。ただ，母語で説明を与えられないと心理的に満足できない学習者を育てないよう留意しなければならない。

　教室でよく使用する表現は，始めから日本語で与える。動作を伴う表現なのと，度々使われるのとで，理解しやすいし，これらの表現を通して新しい学習事項の手掛かりを与えられる場合もある。

3．教師が話しすぎない

　クラスは学習者のためにある。出来るだけ学習者に日本語を使う機会を与えるよう心がけたい。これは，積極的に学習に参加させるという意味でも大切である。会話のクラスは無論のこと，読解のクラスでも，説明を与える場合でも，各項目毎に質問し，それに答えさせるという形で学習者の参加を促すと同時に理解を確認しながら先へ進むようにする。常に教師が質問し，学習者が答える形式に陥りがちであるが，これも，最初の数回は，教師が発問し，どんな質問をすればよいか，それにどう答えるかを学習者全体が理解したところで，今度は，学習者同士間で質問，解答を順次行わせるようにする。

　最近では，学習者に話させる前に教師の発話を沢山聞かせるべきであり，学習者が自然に話し始めるまで待つべきであるとする主張もあるが，実際には，学習したことを自分で使ってみたいという学習者は多いので，特に強要する必要はないが，クラスでは教師よりも学習者の方に話す機会を与えるようにしたい。

4. 学習者の間違いに対する教師の態度に留意する

　学習者の積極的な参加を促すには，学習者が間違いをするのを恐れないような雰囲気を作りだすのが一番である。教師も学習者も，始めから正しい日本語が使えればクラスに来る必要はないことを前提として学習に臨まねばならない。

　最近の教授法では，発音等はあまり矯正しないとされているが，少なくとも自分の問題点は気づかせておく方がよい。また，誤りはきちんと訂正してほしいと望む学習者も多い。

　初期の段階で身につけた間違い，特に発音は，後になってからでは矯正しにくい。忍耐強く，出来るだけ矯正する方が親切ではあるが，学習意欲を失わせる原因になることもあり，学習者の性格等をよく見極めた指導が必要である。自分の問題点に気づかせ，それを直すにはどうすればよいかを出来るだけ具体的に示しておき，その上で，過度にならないよう，時々注意を促す。学習者の日本語学習の動機，到達したい目標，性格にも関係するが，いつまでたっても同じ間違いを繰り返すための自己嫌悪に陥らないよう，正しく出来た場合には，激励の言葉をかけるといった配慮も必要であろう。

5. 易から難へ，細かいステップでじょじょに進む

　導入から，認識させ，再生させるまでの過程を細かい段階に分け，一つ一つ理解を確認してから先へ進む。これは，本来，プログラム学習の概念であるが，語学の教授過程を組み立てていく時に役立つ。特に，ドリルを行う時に留意すべき点である。

　一つのドリルから他のドリルへ進む時には，前のドリルとの相違点は，一つに限るようにする。そうすれば，学習者がどの点に困難を感じているかすぐに分かり，その部分のドリルを重点的に行うことが出来る。

　例えば，使役の用法を教える場合には，まず，種々の視聴覚教材や

デモンストレーションによって使役の意味，文型を示し，何を学習しようとしているかを理解させる。使役の用法はほとんどの言語にもあるので，この概念を理解させること自体は困難ではない。次に，既習の動詞を使って活用のドリルを行う。第Ｉ動詞（五段活用の動詞）の活用が出来るようになったら，第ＩＩ動詞（上一，下一活用の動詞）及び，来る，するのドリルを行い，最終的には，全部取り混ぜて与えたドリルを行う。使役の形が自在に言えるようになってから，助詞の使い方を含めた文型のドリルに入る。その後で，使役文を使って質問させたり，答えさせる等，実際の場面に応じて使えるかどうかを確認する。更にロールプレイなどの方法でシチュエーションに適した使い方の練習を行う。

コミュニカティブ方式では，始めから応答形式やタスク練習により，使役の文を使わせるように試みるが，やはり，活用形をしっかり身につけるような練習なしでは間違えたり，言い直したりで時間がかかる上，なかなか定着しない。言葉の受け応えを重視すると同時に，ある発話，または，単語をスラスラと言えるようにするまでのドリルもなおざりには出来ない。基礎的な枠組みが身についていないと応用がきかない。単調なドリルと言葉のやりとりの楽しさとを適宜組合わせた授業を行う事が肝要である。語学教育には，「近道」はなく，一段階ずつ確実に進むのが，結局は一番早くものにすることができる。

6．全体から個人へ

クラスの大きさが数人を越えると，学習者の注意を常に教師にひきつけ，あきさせず，しかも楽しい雰囲気を保ちながら授業を終えるには，教師の細かい気配りを必要とする。なかでも，ドリルの与え方はかなり大きな要素となる。

新しいドリルへの導入に際しては，まず，クラス全員での練習を数回反復して行い，大体出来るようになってから，のみこみの早い学習

者から順に個人的ドリルに入るようにすれば，遅い学習者に至るころには，ドリルの要領も分かり，学習者側の心理的負担も少なくてすむので，スムーズにドリルが行える。他人の反応の結果にも注意を向けさせ，それによって学びとっていく態度も養っていく。

　学習のパターンにも個人差がある。個人教授以外のクラスでも，できるだけ個人の学習パターンに注意し，これを利用した方が効果的である。

7．説明を与えすぎない

　教科書に書いてあることは自宅で読むことができる。クラスでは教師がいなくては出来ない活動のために時間をさくようにしたい。社会人や主婦を対象としたクラスでは，自宅での学習を期待出来ないこともある。このような場合でも，学習すべき文の提示方法を工夫したり，ドリルを通して理解させることは可能である。デモンストレーションの例，視聴覚教材の利用法等の項を参照して，最小限の説明で短時間内に効果をあげる方法を工夫してほしい。ただ，これは，クラスでの時間を有効に使うことが目的なので，説明を避けたためにかえって時間をとるようであれば，本末転倒である。

8．文法用語は最小限にとどめる

　文法用語の使用は最小限にとどめる方がよい。言語教育に従事する人は，普通，なんらかの言語に関する素養があり，文法用語にも通じているので，極く当たり前のこととして文法用語を用いる。しかし，学習者は必ずしも言語の専門家ではなく，自国語の文法についての認識も持たない人もいる。例えば自動詞，他動詞の区別があることも知らない学習者は決して少なくはない。また，日本語教育における品詞分類は，教科書によっては，日本の学校文法の分け方とは異なる。品詞の名称や取り扱いも多様である。したがって，文法用語の使用や文法事項の説明は，使用教科書の中での名称や扱いに従わないと，無用

の混乱を引き起こす。

9．学習者に満足感を与える

　学習者に自分が何かを学びとったという満足感を与えることは，学習意欲を高めるのに役立つ。それには，各授業毎の到達目標をあまり多くせず，その日に学習したことを出来るだけ学習者自身が使える段階にまでもっていくようにするとよい。しかし，組織の中で教えている場合には，学期毎に終えるべき授業内容が予め決められていることが多いので，一教師の思うようにはならないという現実がある。このような場合でもクラス内で出来るだけ学習者に日本語を使わせる機会を与え，学んだ言語材料を使用して意思を通じさせる喜びを味わせるようにする。

10．復習を重視する

　ある表現の使い方を理解していても，常に正しく使えるとは限らない。繰り返し練習を行わなければ，ある表現が自然に口をついてでてくるようには至らないだろう。既習事項が教科書に反復使用されているとは限らない。むしろ，そこまで配慮してある教科書は少ないので，教師は適宜復習を加えながら進まねばならない。殊にあまり若くない学習者に対してはこの点の配慮は不可欠である。一度で習得できる学習者は，クラスに1-2名いればよいという位に心得ておいた方が無難である。覚えにくい事項，例えば，種々の否定形，「――に（形容詞は――く）なる」等は，新出語彙を使っていろいろな段階で繰り返し練習する。「ら旋状に学習を進めよ」という教育学者の提言は日本語教育においても有益である。

11．自分の目的に適した教授法を編み出す

　一般に，ある時代の主流を占める外国語教授法は欧米の言語間での教育を念頭においている。語順や助詞の存在，省略の許容，表音文字

や漢字の使用等，日本語と欧米の言語との差を考えると，必ずしも全面的には取り入れかねるものも多い。これらの教授法を参考にしながら，日本語の特質を考慮した独自の教授法を編み出す方が賢明であろう。

　どの点が取り入れ可能で，どのような点が不可能かについての実証的な研究も不可欠である。

12.　自分の専門分野を持つ……教えることと研究すること

　教えることと研究することとを両立させるのは難しいという意見も多いが，教えているときに感じた疑問点をいつまでもそのままにしておくことはできない。日本語教育では，まだまだ未知の領域は大きく，必ずしも参考になる論文があるとは限らないので，自分で研究せざるを得ない場合が多いであろう。常にこのような態度をとっている教師は，自分の研究成果を教育の現場に還元することができる。また，大学で教える場合には，日本語教育関係の論文指導をしなければならないこともある。指導にさいして，自分の研究成果を論文としてまとめている者とそうでない者とでは，当然のことながら，差がでる。

　教師採用のために研究業績を重視する傾向は年々強くなっている。日本語教育志望者が増加するにつれて，この傾向は更に強まるであろう。始めから完全な論文を書ける者はまずいない。特に自分が興味を持っている事項や身の回りの些細な疑問点の解明から始めて，じょじょに研究を進めながら自分の守備範囲ともいえる領域を固めていくようにすればよい。

　日本語教育の専門家には，いろいろな分野からの出身者が多く，幅の広い示唆を受けることができる。これは多様な背景や目的を持つ学習者に対応するためであるが，日本語教育を面白くしている一面でもあろう。このように日本語教育では学際的な面が要求され，教師にも広い教養と学識が期待されている。

13. 外国における生活態度

　外国の日本語教育機関で教える日本語教師の質に対する要求は高くなりつつある。日本人でさえあればよいといった時代は終わり，現地の日本語教師の指導が出来ること，大学や大学院の論文指導のできることなどレベルの高い指導ができる人物の要請に加えて，数年前にはあまり聞かなかった日本語教師の生活態度への批判の声も高くなってきている。国によっては，大学生は超エリート階級に属し，彼らを指導する教師には当然きぜんとした態度が期待される。これは，服装等外見上の些細なことにまで及ぶ。じょじょに変わってくるとは思うが，アジア諸国での女性教師に対する目は特に厳しい。治安の問題も含めて，女性が海外で教える場合には，生活態度の面での負担は大きくなる。

　現地事情を知るために，または，現地の言葉を習うために等の理由で学習者と親しくするのはよいが，過度の甘えは禁物である。教師として，独立した社会人としての生活態度を維持するよう日ごろの心掛けが大切である。特に留学生として滞在していた国で教え始めた時には，学生とは身分上の差が生じたことを自覚していなければならない。

　アジアのある国を訪問した時に，日本での教え子に再会したことがある。日本で一番なつかしい物は何かとの問いに，「あの国では何でも言えた。あの自由がなつかしい。」という答えが返ってきた。同じような意味で，学生との関わり合いを含めて，現地社会への関与には制約がある。「日本においては逮捕の危険もない言論の自由の雰囲気の中で育ってきた我々にとっては，異質の世界である。」（小林哲也，1983，p.236　元日本語学校教師の言葉）という現実は日本語教師も十分わきまえておくべきであろう。本人にとっては全く身に覚えのないことであっても，現地の人の目からは「考えさせられる行動」となることもある。不用意な言葉の使い方にも留意する必要がある。

第 2 節　外国人学習者と日本人学習者

　日本人学習者と比較して，外国人学習者に多く認められる点を幾つかあげておく。一口に外国人といっても個人差や文化的，社会的背景による差もあるので，あくまでも，一般的に見られる点である。

1．教師に対する反応を態度や表情にはっきりと表す

　分かったか分からなかったか，面白いかつまらないかなどの反応を得ながら授業が進められるので，教える側は非常に助かるし，張り合いもある。外国人を教えた後で日本人に教えると，あまりの反応のなさにとまどうことがある。一方，教師に対する否定的感情も隠さない。これをどう処理するかで教師の良識と忍耐が試される。

2．学習する側の権利を強く主張する

　これは欧米系の学習者に多い。自分はこれだけの努力と金を費やして学んでいるのだから，それに見合うことはしてほしいと教師に対してはっきりと要求する。前述したように，効果のあがらない教え方でも我慢して学習を続けるなどということはあり得ない。名より実を取るので，教師や教育機関の評判等に関しては敏感で，クチコミが最も威力を発揮する。一方，学習者自身に問題があって授業についていけなかった場合でも，教える側に責任有りとされることも往々にしてある。教師本人ではなく，他の教師や上司のもとへ告げに行くこともあるので，学習者から同僚の教師についての批判を聞いた時には，真相を確かめた方がよい。学習者の批判に耳を傾けることは大切ではあるが，鵜呑みにするのは危険である。

3．教師のはっきりとした態度を期待している

　これも欧米系に多い傾向がある。何事においても，あいまいさを残さず，納得するまで説明を加えておかないと，言葉の聞き取り力が不十分ということもあいまって後でとんでもない誤解の生ずる恐れがあ

る。学習進度表，試験の回数や日程表等，前以て配布しておくように
する。

4．質問をよくする

　日本人学習者に比べると非常に積極的に質問をする。特定の質問の
ために授業が全く進められなくなることもあり得る。そうかといって
質問を禁じてしまうと学習意欲をそぐことになるし，授業中の質問に
答えないのは学習者の教師に対する不満の大きな要因になるので，質
問の時間を別に設けるというような配慮が必要である。その場で答え
られないような質問に対しては，調べておくとか，後で研究室に来る
ようにとかはっきりとした態度を示し，あいまいなままにしておかな
いようにする。

5．成績を非常に気にする

　国によっては，成績の良し悪しが奨学金の額や仕事の収入等，将来
の可能性に直接影響する。そのせいもあって，成績に対しては日本人
学習者よりこだわる傾向がある。試験の問題毎の採点基準はもちろん
のこと，学期末の成績の算出基準も明確に前以て知らせておけば，後
で面倒が起きない。特にクラス内での自分の位置をよく自覚させてお
く。例えば，通常やさしい試験をしておいて，学期末の成績は相対的
評価にすると，成績の良い学習者が多い場合には，日ごろ満点に近い
点をとっていながら学期末の成績は意外に低いということが起こる。
このような場合には，何故そのような成績になったか説明を求められ
るであろう。試験毎の平均点を知らせるとか，得点のみを上から順に
並べて試験毎に発表するとかして，全体の得点が高いことを知らせて
おくとよい。

6．理解の過程が国（文化圏）によって異なる

　社会によって価値観が異なることから考えても当然のことである

が，物事を理解する過程にも差がある。一般に，アメリカ系の教育を
している国の学習者は，実例を幾つか与えておいてから抽象度の高い
説明をする方が理解が早く，フランス，ドイツ系はその反対である。
これは学習者たちが知的訓練を受けてきた方法による差であろう。例
えば，前者には，文例をたくさん与えておいてから，まとめとして文
法の説明をするとか，教材の配列も「桃太郎」，「花咲かじいさん」
等，日本昔話の後に「日本の昔話について」の課をおくとかすると教
えやすい。一方，後者は，ドリルの前に文法の説明を一通りしないと
納得しない。

　学習者が教育を受けた国での小，中学校レベルでの教え方を知って
おくと，説明や教材の与え方のみならずいろいろな面で参考になる。

7．日本の文化に関する知識

　日本語の教師は日本について知らないことはないと思われているら
しい。あまり深くなくてもよいが，いわゆる雑学に類することまで，
広い知識を持つように日ごろ心がけておくとよい。

　いろいろあげればきりがないが，学習者が教師の手を離れた後，自分
で日本語を学んでいけるように，将来の伸びを見越し，且つ，応用のき
くような教え方が望ましい。要は日本語嫌いを作らないことであろう。

参考文献
（1）小林哲也編（1983）『異文化に育つ子供たち』，有斐閣.
（2）細川英雄（1987）『パリの日本語教室から』，三省堂.
（3）三浦宏一（1992）『アメリカの日本語教室から』，アルク.
（4）Stevick, E. (1976) *Memory, Meaning & Method*, Newbury House
　〔石田敏子訳（1988）『新しい外国語教育』，アルク〕.

索　引

［著者略歴］

石田敏子 (いしだ　としこ)

国際基督教大学語学科卒業。同大学院視聴覚教育学科修士課程修了。
スタンフォード，ハーバード，パリ第七大学，フランス国立東洋言語
文化研究所，オックスフォード大学等での日本語教育及び研究。中
国，韓国での日本語教師養成に従事。筑波大学文芸・言語学系教授を
経て，現在日本女子大学文学部教授。筑波大学名誉教授。
著書：『漢字を科学する』(有斐閣，共著)，『入門日本語テスト法』
　　　(大修館書店)
訳書：A.ケストラー『サンバガエルの謎』(サイマル出版)，Pハ
　　　リー『罪なき者の血を流すなかれ』(新地書房) など

［改訂新版］日本語教授法

©Toshiko Ishida 1995

初版発行━━━━1988年2月10日
改訂新版8版発行2001年12月10日

著者━━━━━石田敏子
発行者━━━━鈴木一行
発行所━━━━株式会社大修館書店
　　　　　　〒101-8466　東京都千代田区神田錦町3-24
　　　　　　電話03-3295-6231(販売部)　03-3294-2356(編集部)
　　　　　　振替00190-7-40504
　　　　　　［出版情報］http://www.taishukan.co.jp
装丁者━━━━エディタ企画　杉浦幸治
印刷・製本所━━図書印刷

ISBN4-469-22107-4　　　Printed in Japan

2001年11月現在（上記の価格は本体価格です）　　　　　　大修館書店